여행이 삶을
바꿔놓진 않겠지만

더 나은 사람이 되기 위해 떠났던 여행의 기록

여행이 삶을 바꿔놓진 않겠지만

초판 1쇄 인쇄일 2018년 7월 9일
초판 1쇄 발행일 2018년 7월 16일

지은이 박찬영
펴낸이 양옥매
디자인 표지혜
교 정 조준경, 허우주

펴낸곳 도서출판 책과나무
출판등록 제2012-000376
주소 서울특별시 마포구 방울내로 79 이노빌딩 302호
대표전화 02.372.1537 **팩스** 02.372.1538
이메일 booknamu2007@naver.com
홈페이지 www.booknamu.com
ISBN 979-11-5776-573-7(03810)

이 도서의 국립중앙도서관 출판시도서목록(CIP)은 서지정보유통지원 시스템
홈페이지(http://seoji.nl.go.kr)와 국가자료공동목록시스템
(http://www.nl.go.kr/kolisnet)에서 이용하실 수 있습니다.
(CIP제어번호 : CIP2018018817)

더 나은 사람이 되기 위해 떠났던 여행의 기록

여행이 삶을
바꿔놓진 않겠지만

박찬영 지음

책과나무

들어가며

|

어찌 됐든, 삶은 여행이다

세상에서 가장 먼 길이 머리에서 가슴까지라고 한다. 나는 사람의 머리가 진정 가슴에 닿는 방법을 아직은 잘 모르기에 그저, 지금은 걸어서 가 볼 뿐이다.

여행자가 낯선 두려움에 잠시 주춤하는 건 당연한 일이다. 여러 곳을 여행하는 동안, 그 장소가 주는 기대치가 내 기존 기대치를 부응하지 못했을 때, 내 생각은 이해타산에서 곧잘 끝났다. 그래서 아쉬움은 기억 곳곳에 남아 있다.

모든 길은 지나고 나서야 더 알게 되는 듯하다. 이 여행을 결정하기까지 내 안에는 선행하는 인상들이 있었다. 그리고 동일한 장소에서 시선은 제각각이었기에 나는 '직접 걷는 것만이 좋은 방법이다'는 결론에 생각을 굳힐 수 있었다.

이십 대 초반의 내 방황은 더 나은 삶을 원하는 데 있었다. 그건

　　　　　　　　　　• 여행이 삶을 바꿔놓진 않겠지만

삶에 대한 열정이었고 그렇게 나의 배낭여행은 시작되었다. 이 책은 내게 그 어떤 여름보다 뜨거웠고 그 어떤 겨울보다 차가웠던 내 시간에 대한 기록이다.

2018년 박찬영
북한산 자락 아래,
우물골에서

무엇을 시작하기에 앞서,
하고 싶었던 의욕이 넘친 나머지
해야 할 것으로 마음이
조금씩 기울었다

나의 배낭여행은
그렇게 시작되었다

프롤로그 :
기억, 아래 놓인 것들

스무 살 때, 작성한 향후 십 년 계획을 펼쳐봤다. 그리고 전역 후, 눈에 들어온 계획 중 하나가 '배낭여행'이었다.

막연히 언제 가 보겠나, 그냥 가는 거지란 생각으로 지도를 펼친 뒤, 나는 번지점프대 위에 선 사람처럼 그곳으로 떨어질지 말지를 고민하다가 기행 전문 블로그를 통해 사전정보를 찾아보았다. 내 예상보다 혼자 여행한 사람들은 제법 많았다. 나는 기존의 기행에 관한 견해와 사진들을 상세히 훑고 난 후에야 이 낯선 여행길의 시작을 안도할 수 있었다.

2014년 1월 1일, 러시아 무비자 여행이 가능해졌다는 소식을 들었다. 그 당시 나는 시베리아 횡단 여행을 떠날 생각에 아이처럼 흥분만 할 줄 알았지, 앞으로 닥칠 일에 대해 앞서 생각하는 준비란 없었다.

첫 여행자로서 가슴이 좋아 어쩔 줄 모르는 내 행동은 챙겨 넣은 물품을 재확인하던 과정에서 곧바로 드러났다. 막상 여행 일정이

• 여행이 삶을 바꿔놓진 않겠지만

점점 다가오자 나는 그만둘 핑계거리를 찾고 있는 나와 부딪혔다. 생각만으로 내 속을 울렁이게 했던 막연함을, 그 막막한 깊이를 이젠 몸으로 느껴야 했고 나는 두려웠다.

갈등은 계속됐지만 나는 여행을 떠날 수 있도록 나를 달랬다. 행여나 변덕으로 뭉친 잡념이 피어오를까 틈틈이 앞으로의 여행을 계획하면서 시간을 보냈다. 하지만 생소하기에 가슴이 주춤거리는 건 어쩔 수 없는 듯했다.

시베리아 횡단 여행, 이제 시작이다. 레스페베르![1]

---

[1] 레스페베르(RESFEBER): 스웨덴어로 여행을 떠나기 전, 긴장과 기대로 인한 심장의 떨림을 말한다.

제 1부

겨울,
차가운 머리에서

러시아

폴란드

두바이

　내 첫걸음은
　　　비장했다

새벽 일찍 집을 나섰다. 늘 그렇듯 지하철 안은 출근길에 들어선 사람들로 가득했다. 월요병 탓인지, 전철 안에는 무거운 공기가 맴돌았다. 중압감이란 무게를 감히 내 배낭 무게와 비교할 순 없지만 배낭을 메고 한 발 한 발 내딛는 발걸음은 나에겐 해소되지 못한 채 쌓여만 가는 무게 같았다.

　고속터미널을 떠나 동해항 국제 여객터미널까지의 길은 생각보다 순조로웠다. 국제 여객터미널엔 나처럼 배를 기다리는 여행객들이 제법 많았고 개중에는 고국으로 돌아가는 러시아인들도 많이 보였다.

　선착장에 정박 중인 페리 한 척, DBS페리의 외관은 미리 찾아보았던 사진과 조금 달랐다. 외부의 칠이 벗겨진 곳곳에 녹이 슬어 있었다. 사실, 거대한 페리에 슬어 있는 곳곳의 녹이 내 시야를 잡고 안전을 의심하게 만드는 건 우스운 일이다.

　드디어, 나는 DBS페리에 탑승했다. 나는 설렘을 느릿하게 즐기

　　　　　　　• 여행이 삶을 바꿔놓진 않겠지만

는 탑승을 기대했는데 현실은 그렇지 못했다. 나는 고개를 빳빳이 치켜세운 채, 2층 높이의 출입구까지 한 줄로 떠밀리듯 들어갔다.

각층별로 안내 표시가 있었지만 다닥다닥 붙은 호실을 보니 아무 데나 짐을 풀어도 될 것 같은 기분이 들었다. DBS페리에는 숙박시설 외에 편의점과 면세점, 사우나와 클럽 등이 준비돼 있어 지루함을 느낄 틈이 없어 보였다.

나는 성인 한 명이 겨우 누울 수 있는 침실 칸에 간단히 짐을 풀고 나서야, 어깨에 뭉쳐 있던 돌을 깰 수 있었다. 늦은 밤, 갑판 위로 나가 보았다가 난간을 잡지 않고선 도저히 서 있을 수 없을 만큼 불어닥친 해풍의 위력에 나는 금방 선실로 돌아올 수밖에 없었다.

출발 전, 몇몇 지인들에게 배 멀미에 대한 얘기를 들었지만 군복무 시절, 나는 배를 종종 탔기에 장시간 배로 이동하는 것을 대수롭지 않게 생각했다. 다만 혼자라는 것에 약간 쓸쓸할 뿐 이었다.

그런데 엉뚱한 데서 첫 번째 문제가 발생했다. 장시간 일렁이는 바다를 이길 생각이란 애초에 어리석은 것이었다. 그건 그저, 시간 문제일 뿐이었다. 계속해서 울렁이는 속에, 나는 바닥에 축 늘어진 채 시간이 흐르기만을 기다릴 뿐이었다.

하루가 어떻게 지나갔는지도 모르겠다. 기운을 차리고 보니 밤은 온데간데없고 아침이었다. 그리고 '이제 시작이구나!' 하는 생각에 나는 집 나온 지 하루 만에 지쳐 갔다.

바다를 바라보며 그렇게 하루가 지나갈 쯤, 시야에 들어온 한 점. "참 코딱지만 하네." 이 말은 실망감이 아닌 걸 수 있음에 대한 안도였고, 잠시 후 나는 블라디보스톡 항구에 도착했다. 입국 수속절차에서 사람들은 서로 눈치를 보며 짧은 줄을 찾고 있었다. 나 역시 후다닥 나가고 싶었지만, 마음과 달리 내 몸은 평소보다 더욱 느렸다.

가까스로 입국도장을 찍고 나니 그제야 속이 뻥 뚫렸다. 나는 서

둘러 민박집으로 가기 위해 버스정류장을 찾았다. 도로에서 우리나라 중고 버스를 쉽게 볼 수 있었다. 버스 외관에 새겨진 한국어를 보면서 문득 '저 버스를 타면 집까지 가겠지.' 하는 생각이 들었다. 이제 시작인데, 나는 벌써 한국을 그리워하고 있었다.

나는 기다리던 버스에 올라탔고 현지인들을 따라 뒷문으로 승차하고 하차할 때 버스 요금을 지불했다. 버스는 익숙해서 편안했지만 민박집 사진 한 장 들고 버스정류장 수를 세어 가며 창밖으로 눈을 떼지 못하는 건 정말 피곤한 일이었다.

해가 질 무렵에야 민박집 근처에 도착했다. 벨을 누르자, 고려인인 민박집 사모님이 서툰 한국말로 반갑게 맞이해 줬다. 내 모든 긴장이 또 한 번 풀리는 시간이었다. 시내에서 좀 떨어진 산동네 언덕의 민박집은 오르기도 꽤나 벅찼다. 그러나 산동네 언덕에 위치한 민박집은 블라디보스토크의 야경에 빠지기엔 더없이 좋은 장소였다.

대충 짐정리를 마친 그날 저녁, 나는 시내로 나갔다. 띄엄띄엄 켜진 가로등 불은 비탈길을 따라 이어졌고 한참을 내려오자 시내가 보였다. 인기척 없는 어두운 밤거리를 걷는 건 대낮의 붐비는 빛을 보는 것보다 나름 즐거웠다.

시야에 부딪혀 오는 것을 따라 그저, 나는 한참을 걸었다. 야간 순찰을 끝내고 다시 돌아가려 하니 불 꺼진 간판의 숙소들이 눈에 띄었다. 처음 항구에 도착해서 맡은 특유의 향이 내 몸에서 새어나갔고 어딘가를 맴돌다 다시 내게로 달라붙었다.

시내를 걷는 동안 영하 18도의 바닷바람이 불어왔지만 추운 것도 잊은 채 해양공원부터 중앙광장, C-56 잠수함, 영원의 불꽃, 개선문까지 한 바퀴 걷고 자정이 넘어서야 돌아왔다. 나는 이때까지만 해도 아침에 찾아올 상황을 전혀 예상하지 못했다.

· 여행이 삶을 바꿔놓진 않겠지만

i

러시아

．．．．．．．．．．．

．．．．．．．．．．．

▶ 블라디보스토크 항구

▶ 페리에서 바라본 항구

나는 눈을 뜨자마자 여행할 생각에 약간 흥분된 상태였다. 그런데 거울을 보니 귀가 벌겋게 부어올라 물집이 잡혀 있었다. 나는 동상을 의심하곤 귀를 뜨거운 물로 찜질했지만 나아질 기미는 좀처럼 보이질 않았다. 어젯밤, 추위에도 아랑곳 않고 돌아다닌 일이 문제였다. 극저온의 찬바람에 귀가 심하게 마비되어 아픈 줄도 몰랐던 것이다.

　대수롭지 않게 생각했던 거와는 달리, 결국 오전에 계획했던 일정을 취소하고 민박집 주인아주머니와 함께 택시를 타고 병원으로 향했다. 시내에는 차선도 없고 택시기사의 운전도 몹시 거칠어 나는 긴장의 끈을 놓을 수가 없었다. 심란함에 온몸이 경직되는 듯했다.

　병원에 도착해서 의사 말이 끝날 때까지도 몸의 긴장감은 좀처럼 풀리지 않았다. 다행히 동상은 아니고 바이러스 감염으로 생긴 증상이라고 했다. 처방을 받고 약국에서 약을 구입하고 나서야, 러시아인이 왜 그토록 두꺼운 외투에 털모자를 착용하는지 알았다. 블라디보스토크에서 병원에 갈 거라고는 생각지도 못했기에 예상치 못한 지출이 못내 찝찝했다.

　　　　　　　　　　　　•　여행이 삶을 바꿔놓진 않겠지만

민박집으로 돌아가는 길, 민박집 아주머니께서 독수리 전망대를 구경시켜 준다기에 따라갔다. 전망대에서 바라보는 탁 트인 블라디보스토크 시내는 마치 남산에서 바라보는 서울 시내 같았다.

병원 가는 일로 오전 시간을 소비했지만 다행히 저녁 시베리아 횡단 열차 탑승시간까지는 여유가 있었다. 시내까지 걸어 나와, 어젯밤에 들렀던 C-56도 다시 보았는데 낮에 다시 보니 잠수함은 생각보다 컸고 상당히 길었다. 잠수함 내부에 세밀하게 그려진 붉은 별 모양 무늬는 그 당시 사회주의의 실상을 보여 주고 있었다.

다시 숙소로 돌아와 떠날 준비를 했다. 민박집 사모님이 기차역까지 배웅해 주셨다. 역으로 들어가는 정문 앞부터는 검문이 철저하고 경계가 삼엄했지만 내부의 공기는 바깥과 달리 따뜻했다.

승차권을 받은 후, 나는 열차를 탑승하러 플랫폼으로 나갔다. 잘 찾아 나왔음에도 불구하고 열차 타는 곳을 찾지 못한 나는 승차권을 직원에게 보여 주며 바삐 움직였고, 간신히 구간을 찾아 탑승에 성공했다.

내가 탄 TSR(Trans-Siberian Railroad)은 흔히 '시베리아 횡단열차'라고 불리며 모스크바에서 블라디보스토크까지 9,288km를 운행한다. 이 거리는 지구 둘레의 3분의 1 정도나 되고 서울에서 부산까지 22번을 왕복하는 거리라고 한다. 또한 세계에서 가장 긴 직통열차로도 유명하며 전체 구간을 가는 데 걸리는 시간은 6박 7일이라고 하니, 그 어마어마한 길이를 가늠하기란 쉽지 않은 듯했다.

　나는 이르쿠츠크까지 가는 승차권을 구매했다. 모든 열차 시간은 모스크바 시간을 기준으로 설정되어 있었기 때문일까. 나는 그 기다림이 유독 더 길게 느껴졌다.

　　　　　　　　　　　　　　• 여행이 삶을 바꿔놓진 않겠지만

▲ C-56잠수함

▲ 내부

이르쿠츠크로 가는 열차

시베리아 횡단의 긴 여정이 열차 소리와 함께 시작되었고 이내 모든 소리들은 고독하게 들려왔다. 내가 비장한 각오를 드러내면 덩달아 내 주변도 비장해 보이곤 했다. 하지만 신발 끈을 꽉 동여매도 어느 시점부터 서서히 매듭이 풀리는 것처럼, 얼마 지나지 않아 내 긴장 역시 풀어졌다.

긴장이 풀리면 조이고, 다시 풀어지면 조이는 일을 피로하게 반복했다. 이조차 즐거운 건 반복된 피로에 몸을 맡기는 일이 여행의 시작이기 때문이란 생각도 들었다.

각 구간마다 2명의 안내원이 있었다. 그들은 티켓을 검사한 후 내가 지낼 자리를 덮을 수 있는 일회용 커버를 나눠 주었다.

열차 내부가 궁금해 좁은 이동 통로를 조심스럽게 지나가 화장실, 흡연실, 레스토랑 등을 구경했다. 화장실은 더러워 보였지만 세면 정도는 할 수 있을 것 같아 보였다. 열차가 정차하기 전부터 출발할 때까지는 안내원이 화장실 문을 잠갔다.

혼자 다녀서인지 자연스레 사람들의 시선을 끄는 느낌이 들었다. 곧 자리로 돌아와 오랜 시간을 좁은 공간에서 지내야 한다는 생각을 하며 차 한 잔으로 지친 마음을 달랬다.

　　　　　　　　　　　　　• 여행이 삶을 바꿔놓진 않겠지만

낭만적일 것 같다는 막연한 생각으로 설렜던 출발 전과 달리, 현실은 열차 안에 진동하는 역한 냄새만큼이나 녹록지 않았다. 게다가 러시아 음식 특유의 향까지 맡고 있자니 나는 된장, 고추장, 마늘 냄새가 더욱 그리웠다.

열차에서의 새벽, 나는 추위에 잠을 깼다. 열차의 창문이 얼어붙는 게 보였다. 나는 점퍼를 더 껴입고 배고플 때마다 스프, 라면, 즉석 밥, 간식 등을 최대한 간소하게 먹으면서 수시로 커피와 녹차를 마셨다. 열차에서 뜨거운 물이 무제한으로 제공된다는 점 하나만큼은 다행이었다.

객실 안은 남녀노소 가릴 것 없이 러시아인으로 가득했다. 동양 사람처럼 생긴 외모가 자주 보이긴 했는데, 그들은 대부분 고려인이었다.

나는 역에 정차할 때마다 쌀쌀맞은 안내원의 행동을 유심히 지켜봐야 했다. 오래 정차할 것 같아 보이면 눈치껏 잠깐 나가서 기지개도 켜고 바람도 쐴 수 있었다. 러시아어를 모르는 나는 본능적으로 사람들의 표정을 보고 파악할 수밖에 없었다. 달리는 열차 안에선 시간이 그리고 하루가 어떻게 흘러가는지도 알 수 없었다.

옆자리의 여행객이 바뀔 때마다 나는 가져온 초코파이를 하나씩 건네는 방식으로 어색함을 풀었다. 여행객인 나에게 열차는 대륙 횡단이라는 큰 의미가 있지만, 이곳 사람들에겐 일상적 교통수

단에 불과한 듯 보였다. 들떠서 구석구석 훑는 나와 달리 그들에겐 한두 번 타는 것도 아니라는 식의 여유가 느껴졌다. 일상의 바쁜 삶 속에 있다가 이런 여유를 겪어 보니 조급하게 살아온 나에 대한 안쓰러움을 잠시나마 긁어내는 기분도 들었다.

점점 깊어 가는 밤, 노랫소리가 들려왔다. 나는 내 귀를 의심하듯 뒤를 돌아보았는데 그곳엔 한국인 한 명이 있었다. 나는 나보다 나이가 조금 많은 그와 함께 차 한 잔을 마시며, 열차에 타기까지의 소소한 이야기들을 나눴다.

신기한 것은 그도 나와 동해에서 같은 시간에 크루즈를 탔고, 열차도 같은 시간에 탑승해 이르쿠츠크까지 간다는 점이었다. 같은 공간으로 이어진다는 것, 마치 약속이라도 한 듯이. 이러한 우연의 일치에 나는 새삼스레 좁은 세상을 좀 더 구체적으로 실감했다. 우리는 시베리아 횡단열차 안에서의 반가운 만남에 맥주를 마시며 밤을 보냈다.

언제 잠든 건지 모르겠다. 강렬한 햇빛이 나를 깨웠다. 차창 밖을 보니 자작나무가 하얀 수피를 드러낸 채 바이칼 호수를 따라 끝없이 펼쳐져 있었다.

오후면 이르쿠츠크역에 도착하기 때문에 나는 미리 배낭 정리를 하고 어젯밤에 만났던 재민 형에게 가 보았다. 그 형이 탄 앞 구간에는 러시아 대학생들이 타고 있었는데, 내게 먼저 친근감을 보이

· 여행이 삶을 바꿔놓진 않겠지만

며 자신들의 전통음식을 먹어 보라고 권했다. 나는 마침 가지고 있던 식량이 거의 떨어졌던 터라 흡족한 미소를 지으며 감사하게 받아먹었다.

나도 무언가 주고 싶어서 몇 개 남지 않은 초코파이 등의 과자를 꺼내 고마움을 표시했다. 그리고 자리로 돌아와 빨리 도착하기를 기다리며 창밖만 바라보고 있었다.

역에 도착하니, 무뚝뚝했던 안내원도 웃으며 고생했다는 표정으로 눈인사를 건넸다. 막상 이르쿠츠크역까지 왔지만, 주소만 알지 민박집은 초행길이어서 걱정이 앞섰다. 하지만 고맙게도 재민 형을 마중 나온 러시아인 친구가 자기 차에 타라며 바래다주었다. 혼자 찾아갔더라면 분명 밤늦게까지 헤맸을 것이었다.

민박집에 도착하여 나는 샤워를 한 후 인터넷으로 이르쿠츠크에 대한 정보를 한 차례 더 찾아봤다.

왼쪽부터 ▶
겨울창가1, 겨울창가2, 달리는 횡단열차

시베리아의 진주, 알혼섬
- - - - - - - - - - - - - - - - -

이른새벽, 동토의 땅 위를 걷는 동안 피부에 파고드는 추위를 실감했다. 평소 한국에선 눈길조차 가지 않던 핫팩을 생각나게 만드는 영하 20도~30도의 기온과 빙판이 된 도로에 나는 온몸을 최대한 움츠렸다.

주변은 어제 미처 보지 못한 아름다운 순백색으로 뒤덮여 있었다. 새벽 눈, 나는 아무도 밟지 않은 곳을 살포시 밟았다. 눈보라가 시야에 거치적거렸지만 발아래 사각거리는 소리는 나를 들뜨게 했다.

알혼 섬에 들어가기 위해서는 이르쿠츠크 중앙시장에서 미니버스를 타고 일곱 시간 정도 가야 했다. 지도 한 장 들고 주변을 열심히 살폈지만 폭설 때문인지 찾을 수가 없어 물어보고 또 물어봤다. 대부분 친절하게 알려줬고, 한 택시기사는 땅에 쌓인 눈을 도화지 삼아 몇 시에 미니버스가 오는지 알려 주기도 했다.

폭설로 인한 기상악화로 예정시간이 지나도록 버스는 오지 않았다. 근처에 있는 다른 미니버스 기사에게 알혼섬 지도를 보여 주자, 명함을 주며 그곳으로 전화해 보라고 했다. 고맙긴 했지만 말도 통하지 않는데 무슨 수로 전화를 하나 싶어 막막했다.

밖에서 무작정 기다릴 수가 없어 일단 정류장 앞 카페에 들어가 몸을 녹였다. 지푸라기라도 잡는 심정으로 아르바이트생에게 전화를 부탁했다. 내 의사표현을 알아들었는지 아르바이트생은 종이에 시간을 써 주며 픽업 차가 곧 올 것이라고 내게 환한 미소로 알려 주었다.

시간이 가까워지자 나는 조급한 마음을 가라앉히고 밖에서 기다렸다. 그런데 미니버스가 내 앞까지 왔다가 나를 못 보았는지 반대편으로 돌아서 가 버리는 게 아닌가. 몇 초간 아무 생각 없이 떠나가는 미니버스 꽁무니만 멍하니 쳐다봤다.

다시 카페에 들어가서 물어보려던 찰나, 아까 그 차가 다시 돌아왔다. 나를 지나쳤다가 이내 되돌아왔던 차 한 대가 주먹만 한 뜨거운 기운을 내 가슴에서 정수리까지 치솟게 만들다 훅하고 떨어뜨리는 것 같았다.

미니버스 안에는 현지인과 외국인 부부 관광객이 타고 있었다. 알혼섬에 들어가기 위해서는 호수를 건너야 하는데, 시기가 좋아서 미니버스로 들어 갈 수 있었다. 여름에는 배를 타고 호수를 건너야 하지만, 겨울에는 호수가 꽁꽁 얼어 차로도 이동이 가능했다.

일곱 시간 정도를 달려, 알혼섬 후지르 마을에 있는 니키타 하우스에 도착했다. 비성수기여서 예약을 하지 않아도 빈방이 있었다. 니키타 하우스 주인은 한국인들이 종종 온다면서, "안녕하세요."

· 여행이 삶을 바꿔놓진 않겠지만

라고 한국말로 인사하며 친근감을 표시했다.

중국 관광객들은 단체로 놀러왔는지 가이드 한 분이 반갑게 인사를 건넸다. 우리는 다 같이 후지르 마을의 언덕으로 올라가 알혼섬의 모습을 감상했다. 드넓은 호수의 장관에 약속이라도 한 듯 감탄을 자아내다가도 일순간에 모두가 조용해졌다. 성스럽게 여겨지는 곳인 만큼 예사롭지 않은 기운이 온몸으로 느껴졌다.

알혼섬은 바이칼 호수 27개 섬 중에 가장 큰 섬으로 자연 경치가 수려하며, 나무가 눈에 띌 정도로 있는 대부분이 맨땅으로 되어 있었다. 하지만 천지의 기운이 감도는 이곳은 토속신앙의 발원지이기도 했고, 천상의 세계라 불리는 샤머니즘의 성소였다. 이 섬에는 '부랴트'라는 소수민족이 살고 있는데, 그들의 정서는 우리나라의 장승이나 서낭당 같은 정서와 매우 닮아 있었다.

그리고 바이칼 호수의 심장이라고 불리는 부르한 바위에는 칭기즈칸의 혼이 잠들어 있다는 전설도 내려오고 있었다. 부르한 바위에는 두 개의 봉우리가 있지만, 내가 갔을 때는 호수의 수면이 높아진 채로 얼어 있어 멀리서 바라보면 마치 두 개의 바위가 따로 있는 것처럼 보였다.

또한 이곳에는 성지답게 신목(神木)인 '세르게'가 있었다. 누군가가 자신의 소원을 담긴 리본을 가지고 와서 묶어 놓는 풍습을 볼 수 있는 나무였다. 알혼섬의 나무 한 그루는 그동안 다녀간 사람들의 사연을 몸에 훈장처럼 두르고 있었다.

보는 것만으로도 알 수 없는 감정과 넘쳐나는 기운이 내 가슴에도 차올랐다. 아마도 알혼섬의 아름다움이란 이것을 말하는 것이 아닐까 나는 생각했다. 태초부터 인간은 신과 소통하기 위해 매개물을 필요로 했을 것이다.

어릴 적 엄마 손잡고 따라간 산골짜기의 허름하고 외진 오두막 안, 비좁은 공간에서 기묘한 글을 써 내려가며 사주의 점괘를 보던 신기한 장면은 떼쓰는 나를 얌전하게 만드는 곶감 같은 것이었다. 물론 기억이란 게 바래지면 감정도 식겠지만, 과학적으로 설명할 수 없는 그 무언가가 먼저 반응할 때면 내 몸을 한 바퀴 훑고 갔다.

예나 지금이나 인간의 간절함과 약함이 절대자를 존재하게 만드는 것 같다.

· 여행이 삶을 바꿔놓진 않겠지만

▲ 나무 한 그루

▲ 바위

알혼섬, 깊숙한 그곳
- - - - - - - - - - - - - -

영하 30도. 공기가 차갑다 못해 따가웠다. 그래도 상쾌하다는 느낌은 들었다. 마을에서 내려다본 어제와는 달리, 오늘은 본격적인 투어를 위해 알혼섬 북부로 향했다.

나를 태운 '푸르공'이란 봉고차가 비포장도로를 지나 얼어붙은 호수 위를 달렸다. 바닥은 평평할 것 같았지만 얼음 돌기 부분이 눈 속에 파묻혀 마치 자갈밭을 달리는 것처럼 차는 심하게 덜컹거렸다. 가는 내내, 햇살에 비친 얼음이 에메랄드처럼 푸르게 빛나고 있었다.

알혼섬 북부 끝에 있는 하보이곶에 도착했다. 빙하가 정지한 듯 보였고 바이칼의 끝은 고요했다. 숨 쉬는 나 외에는 모두 얼어붙은 것 같았다.

나는 점심으로 현지 음식인 오물(러시아어 омуль, 생선의 한 종류)을 게 눈 감추듯 먹고 난 후, 멀리 보이는 거무스레한 그림자 쪽으로 걸어갔다. 얼음 바람을 헤집고 거무스레한 그것에 가까워지자 윤곽은 뚜렷하게 드러났고, 이내 나는 궁금증이 풀렸다.

오토바이 한 대였다. 그것은 버려진 것이라 하기엔 외관이 멀쩡했기에 연료 부족으로 세워 둔 것이란 생각이 들었다. 쌩쌩 잘 타

고 다니다가 한순간에 애물단지가 된 것을 오래 지켜보면서 오토바이도 사람 같다는 생각이 들었다.

투명하게 훤히 비치는 바닥의 두께와 얼음 옷을 걸쳐 입은 줄기 모서리가 날카로운 추위의 화살로 날아와 내 살에 박히는 듯했지만, 날이 선 그 얼음들을 보면서 처마 끝에 달린 고드름을 따던 일곱 살 어린 시절의 내 모습을 떠올렸다. 추위마저 잊게 만든 어떤 자연 앞에서 이곳을 보는 모든 사람들이 어떤 근원적인 감흥에 전율하는 듯했다.

나는 얼음 위에 눈을 걷어내며 내가 걸어온 발자국을 돌아다보았다. 그리고 투명한 얼음 바닥에 서서 그 끝을 유심히 들여다보며 앞으로 가야 할 길을 생각했다.

생각과는 달리, 우리는 해도 안 되는 것들을 끊임없이 붙잡고 구차한 줄 알면서도 그럴듯해 보인다는 자기 위안을 하곤 한다. 그렇게 우리는 언제나 해석되지 않는 현실 속에서 옳고 그름을 각자의 견해로 판단하며 때론 뒤엉킨다.

쓸데없는 데 시간을 잡아먹은 탓에 서둘러 봉고차가 보이는 곳까지 가야 했는데, 빙판 위에서는 아무리 애써도 총총걸음이다. 내가 오기만을 기다리는 것 같은 시동 걸린 차량의 성난 엔진 소리에 조심히 문을 밀었다.

나는 깜빡 두고 간 내 시계를 보고서야 내가 제일 먼저 왔다는

• 여행이 삶을 바꿔놓진 않겠지만

걸 알았고, 그제야 숨 고르기를 할 수 있었다. 창문 너머로 뛰어오는 다음 사람을 보고 있으니 주어진 시간을 항상 꽉꽉 채우려고만 하는 여행자의 마음은 모두 똑같구나 싶었다. 창문에 비친 벌겋게 부은 내 얼굴이 우스워 보였다.

니키타 숙소에 도착하고 나니 밤이 풀리듯, 얼얼했던 내 뼈마디에도 비로소 긴장이 풀렸다.

창밖으로 보이는 시베리아 밤하늘의 별들은 성에 부스러기 같이 촘촘히 얼어붙어 새하얗게 빛나고 있었다. 유난히 빛나는 별 하나가 어둠을 깊게 파고 있었다.

새벽이 깨어나는 그 고요함 속에서, 나는 깊게 내려앉은 알혼섬의 밤을 들여다보고 있었다.

다음 날 아침 일찍 체크아웃을 한 뒤, 나는 중국인 일행과 이르쿠츠크 시내까지 동행했다. 서로가 온 목적은 분명 달랐지만, 그들은 나와 사진 몇 장을 번갈아 찍어 주면서 얼어붙은 추위도 반가운 미소로 극복할 수 있게 만들어 주었다.

가끔, 우리가 뒷모습을 배경으로 사진 찍는 이유는 표정을 감출 수 있기 때문이다. 등은 타자의 시선으로 감춘 것을 드러내고 말을 한다.

우리는 이렇게 짧은 만남을 뒤로한 채 각자의 길로 떠났다.

나는 이르쿠츠크역으로 되돌아와 모스크바행 티켓을 구매했다. 탑승시간까지 여유가 있었기에 나는 배낭을 물품보관소에 맡기고 시내로 나왔다. 붐비는 이르쿠츠크역과는 달리, 늦은 저녁의 거리는 매우 한산했다.

시청 앞 광장의 레닌 동상은 어느 지역을 가도 볼 수 있었는데, 그것만으로도 그의 영향력이 얼마나 거대했었는지 짐작할 수 있었다.

밤이 깊어 갈 무렵, 나는 열차 안에서 장기간 먹을 식량을 사기 위해 편의점을 찾았다. 그런데 막상 찾으려니 편의점은 잘 보이지 않았다. 결국 역 앞까지 다시 돌아와 근처 조그만 상점에서 일회용 라면, 빵, 탄산수 등을 구입할 수 있었다.

열차를 기다리는 동안 호프집에서 소지한 전자기기들을 충전했다. TV에서는 소치 동계올림픽을 중계하고 있었다. TSR 열차를 다시 탈 생각을 하자 머릿속에 이미 자리 잡은 익숙한 정황들이 나를 일찌감치 싫증나게 만들었다.

마음이란 본디 간사한 것이라, 기대하면 기대한 만큼 쉽게 깨지는 모양이다. 하지만 여행을 통해 내 안의 빈 공간 속에 무너뜨릴 수 없는 자유가 세워지고 있다는 것을 느끼며, 맥주 한 잔으로 작은 위안을 삼았다.

왼쪽부터 ▶
열차 안, 이르쿠츠크역, 실루엣

- - - - - - - - - - - - - - - - - -

나는 멀고 추운 그 오지에서, '나'라는 쇠를 담금질하는 상상을 했
다. 모스크바 여정이 시작됐다. 이틀하고도 하루를 더 가야 하는
열차 안에서의 시간은 권태로움 그 자체였다. 하루에도 몇 번씩 창
문에 비친 나를 들여다보았고, 마음 안에 갇힌 것들이 표정으로 나
타났다.

　나는 이 권태로움을 극복하기 위해 '내가 이 여행을 떠난 이유는
무엇일까? 나는 왜 이러고 있지?'라는 질문을 내게 던졌다. 거창하
게 표현하고 싶지만 생각해 보면 이유는 간단했다. 그러나 표현의
간단함이 결코 무게와 비례하진 않는 것 같다.

　나는 초 · 중생 시절을 바둑 특기생으로, 고교 시절은 운동으로
시간을 보냈다. 운동의 시작은 내 약한 체질에 대한 극복의 의미였
다. 마치 그것이 전부인 양 어느 하나에 꽂혀 보냈던 시간들, 그러
나 그 시간 역시 내게는 부족한 공간을 채워 나가는 일이었고 여행
또한 내 앞날의 막연함에 대한 해소와 극복이 목적이었다.

　그렇게 스무 살이 되면서, 내게 남은 건 '무엇을 할까?'에 대한
고민뿐이었다. 여행은 그 갑갑함에 대한 답을 찾고자 떠난 길이었
다. 하지만 잠시 그것을 해소한다 하여도 삶의 문제는 여전히 해결

　　　　　　　　　　　　• 여행이 삶을 바꿔놓진 않겠지만

되지 않을 것이다.

여행이 누군가에겐 낭만이 될 수 있고 또 다른 누군가에겐 기억하기 싫은 기억이 될 수도 있다. 나는 최대한 많이 경험하고 부딪치자 생각했다.

여행을 사서 고생하는 일이라고 말하는 사람들도 있으나 내 생각은 달랐다. 여행은 방황을 마주하는 것이다. 여행을 가서 겪는 일을 고생이라고 생각한다면, 그 사람은 여행을 갈 준비나 마음이 없는 것이다.

산술적 타산에 있어선 저효율일지 모르겠지만 경험이란 과거에 내가 겪었던 일들의 결과이다. 나는 매 순간, 몸소 체득한 경험의 결과를 통해 깨우쳤고 일상에서 반복된 실수를 하지 않으려고 애썼다. 지금도 역시 나는 직접 경험을 택했고, 그것을 현장구매 했을 뿐이다.

낯선 곳에서 혼자란 것과 조금 더 힘든 것이 내게 어떤 답을 줄 것이라 나는 믿었다. 내가 배워 온 대로라면 인간은 끊임없이 변화하고 성장하고 발전하다 죽는 존재일 것이다. 나 또한 변화를 위해 이 길에 섰다. 혼자라는 것은 스쳐 지나가는 모든 것을 가볍게 두지 않는다.

아침 일찍, 모스크바에 도착했다. 열차에서 내리자마자 나는 찬바람을 깊게 들이마셨다. 나는 TSR 열차를 타고 여기까지 왔다는 게 실감나질 않을뿐더러 그런 기분은 금세 떨쳐 버릴 수 없었다.

곧이어 나는 상트페테르부르크행 열차를 미리 예매했다. 모스크바에서 상트페테르부르크까지는 8시간 정도 소요되기 때문에 숙박비를 아낄 겸 새벽 열차를 예매한 후, 붉은 광장 근처에 있는 호스텔로 이동하기 위해 콤소몰스카야역에 가서 지하철 표를 자판기로 구입했다.

모스크바의 지하철 분위기는 한국과는 사뭇 달랐다. 모스크바 지하철은 유사시 방공호로 사용하기 때문에 대부분 아주 깊숙한 곳에 건설되어 있다. 지하궁전이라고 불릴 만큼 아름다운 디자인과 더불어 구소련의 상징물들도 곳곳에 있었다.

호스텔 예약 없이 무작정 왔지만 다행히 도미토리 룸이 있어서 그곳에 짐을 풀었다. 햄버거로 간단히 허기를 채우고 붉은 광장으로 나갔다. 광장 내, 건물들은 큼지막한 윤곽들로 한데 어우러진 느낌이었다.

관광객이 상당히 많았기에 다음 날 아침 일찍 다시 와야겠단 다짐만 하곤, 나는 붉은 광장 주변을 둘러봤다. 겨울이라 그런지 들떠 있는 내 감정을 다스리기도 전에 해는 자취를 감추었다.

춥고 차가운 모스크바의 어둔 하늘 아래, 빛나는 붉은 외벽의 건물들은 아름다웠다. 열차 안에서 길게 느껴졌던 시간들이 광장을 걷던 그 사이사이로 재빠르게 사라져 갔다.

• 여행이 삶을 바꿔놓진 않겠지만

모스크바, 아름다운 광장 속에서

붉은 광장은 크렘린 궁전 북동쪽에 있다. 15세기 말에 생겨나 시장으로 사용되다가 16세기에 화재로 점포들이 불타면서 '화재광장'이라고 불렸다고 한다. 17세기에 들어와 현재의 이름인 '크라스나야 플로샤디'로 불리게 되었다. 러시아어 '크라스나야'는 '아름답다', '붉다'는 뜻을 동시에 가지고 있었기 때문에 원래 '붉은 광장'은 '아름다운 광장'이라는 의미였다고 한다.

전날은 인파 때문에 들어갈 엄두도 못 냈는데 이른 아침의 붉은 광장은 제법 한산했다. 알렉산더 가든에서 기다리다가 크렘린 궁전이 개장하자마자 티켓을 구매해 들어갔다.

크렘린 궁전에 들어가자마자 권력의 상징과도 같은 대형 상징물인 황제의 대포와 종을 볼 수 있었지만 내부에는 관람할 수 있는 구역이 한정되어 있었기에 티켓을 한 번 더 사서 무기고 박물관으로 이동했다. 무기고 박물관은 그 시대에 호화롭게 사용하던 러시아 황실의 유물들을 소장하고 있는 보물창고 같은 곳이었다.

나는 크렘린 궁전 크기에 한 번 놀라고, 전시품을 보며 또 한 번 놀랐다. 대형 상징물처럼 크기를 중시하는 인간의 인식은 변하지 않는 것 같다. 인간의 본질은 예나 지금이나 전혀 차이가 없었고

· 여행이 삶을 바꿔놓진 않겠지만

▲ 황제의 대포

▶ 황제의 종

가치관이나 감성 또한 별반 다를 게 없어 보였다. 시대에 따라 양상만 다를 뿐, 권력과 부에 대한 인간의 욕망은 꺼지지 않는 불꽃이란 생각이 들었다.

나는 크렘린 궁전을 나와 바로 옆에 있는 바실리 대성당으로 발걸음을 옮겼다. 처음 광장에 들어섰을 때, 가장 먼저 눈에 들어온 건 바실리 성당의 구조였다. 예전에 했던 게임 중 하나인 '테트리스'가 떠오르는 무늬였는데, 실제로 보니 색깔이 더욱 알록달록했다.

이반 대제가 몽고군에게 승리한 것을 기념하기 위해 지었다고 알려진 바실리 대성당은 1561년에 완성되었는데, 그 아름다움에 탄복한 이반 대제가 더 이상 똑같은 건물을 짓지 못하도록 설계자들의 눈을 멀게 했다고 전한다.

오후가 되자, 많은 사람들이 모여들었다. 나는 레닌의 묘에 들어가기 위해 소지품을 맡기고 줄을 섰다. 레닌의 묘를 보고 이곳이 러시아임을 다시 한 번 각인했다. 입구에서부터 경찰들의 삼엄한 경비 속에서 재차 신원 확인이 이루어졌다.

어두컴컴한 계단을 내려가자, 커다란 유리관 속엔 양복 차림으로 누워 있는 레닌의 유해가 보였다. 대중을 압도하고 추앙받던 그의 인상은 거칠었다. 마치 어제 사망한 듯 생전 그대로의 모습을 간직한 레닌의 유해에서 고요함이 묵직하게 다가왔다.

정작, 레닌 본인은 죽기 전 유언으로 고향에 묻히기를 원했지만

・ 여행이 삶을 바꿔놓진 않겠지만

과거 스탈린이 권력 장악을 위해 레닌의 시신을 영구보존 했다는 얘기를 듣는 순간 소름이 끼쳤다.

세월이 흐른 후, 곡괭이와 망치 모양의 배지는 더 이상 상징이 아닌 장식품에 불과함에도 투쟁의 향수를 잊지 못한 그들의 기억은 바뀐 세상을 부정이라도 하듯 과거에 머물고 있었다. 그래서인지 붉은 광장의 아름다움에 비해 레닌의 묘는 쓸쓸하게 느껴졌다.

어느덧 자본주의의 편리한 일상은 사회주의 이념보다도 더한 신봉으로 굳어져 갔지만 저마다 잠들지 않는 시뻘건 눈으로 인간성을 스스로 무너뜨리는 것 아닌가 싶다.

나는 심야 열차를 타고 상트페테르부르크로 가는 일정으로 곧장 콤소몰스카야 전철역에서 레닌그라스키 열차역으로 이동했다. 밤 열차 안에서 푹 잘 생각으로 호프집에서 맥주를 한잔하며 열차를 기다렸다.

술로 달래는 밤이면 아련한 기억이 떠올라 생각에 잠겼다. 갓 성인 딱지를 단 채 어린티를 벗지 못했던 스무 살은 낭만과 허세의 목말랐던 시절이었다. 잔을 채우고 비울수록 뜨겁게 달궈지는 기분을 식히지 않으려고 밤새 계속 마시고 달리던 객기를 부렸는데, 가끔은 오늘처럼 술로 푸는 혼자만의 시간에 취하기도 했었다.

기다리던 동안, 잔을 들이킴으로써 나의 즐거운 긴장감이 이완됐고 그것에서 발산되는 기분이 좋았다.

왼쪽부터 ▶
레닌묘, 무명용사의 묘, 달, 1인 시위

야간열차를 탄 경우 이른 아침에 도착한 여행객이 숙소를 찾는 곳은 대부분 넵스키 대로이다. 시내 도처에는 바로크풍의 궁전과 광장, 사원, 성당, 동상 등 당시 쌓아올린 다양한 건축물들이 자리하고 있었다. 나는 넵스키 대로를 따라 중심가 쪽으로 가는 중에 호스텔을 찾았다.

여행을 떠나기 전에는 한인 민박에 묵어야 편하고 현지소식을 접할 수 있다고 생각했는데, 막상 다녀 보니 호스텔과 한인 민박 모두 장단점이 있었다. 뭐가 꼭 좋다기보다는 상황에 맞게 정하는 것이 좋을 듯했다.

상트페테르부르크 관광은 먼 곳부터 시작해 가까운 곳 순으로 돌아보는 것으로 계획했다. 첫 목적지는 페트로드보레츠에 위치한 여름궁전이었다. 나는 발티스카야역에서 내려 버스로 갈아탔다.

여름궁전은 표트르 대제가 파티 장소로 쓰기 위해 만든 곳으로, 당시 옛 러시아 제국의 수도답게 황제의 위엄과 권위를 과시하기 위해 충분해 보였다.

그러나 겨울이라 그런지 사진으로 미리 본 것과는 많이 달랐다. 파란 하늘 아래 녹색과 파란색의 조화, 거기에 금색을 수놓은 풍경을 기대했는데, 하늘부터 회색이었다.

여름궁전은 파티장의 기능은 사라진 지 오래였고 시설물의 황금 빛들도 많은 눈과 먼지로 얼룩져 있었다. 나는 여름궁전의 겨울 속에서 러시아의 겨울을 보았다.

이튿날 아침, 눈비가 번갈아 내리기를 반복했다. 음침한 날씨에도 불구하고, 나는 상트페테르부르크 시내를 둘러봤다. 새로운 곳을 향한 발걸음은 항상 가볍다.

상트페테르부르크는 어둠이 짙게 깔렸음에도 '북부의 베네치아'라는 별칭답게 수많은 운하가 시내를 관통하고 있어 걷는 것이 지루하지 않았다. 나는 넵스키 대로를 따라 알렉산더 네브스키 라브라까지 걸어갔다.

이곳 알렉산더 네브스키 수도원에는 러시아를 예술 강국으로 문화를 꽃피웠던 도스토옙스키나 차이콥스키 등 위대한 인물들이 잠들어 있어 '예술가의 묘지'로 불리기도 한다.

도스토옙스키는 상트페테르부르크를 '고전과 퇴폐, 찬란한 아름다움과 우울함이 동시에 피고 지는 세속적인 도시'라고 표현했다. 오늘만큼은 도스토옙스키가 말한 이 세속의 도시에서 소설 속 주인공처럼 마냥 걷고 싶었다. 그리고 레닌의 볼셰비키 혁명을 알리는 첫 대포가 울린 네바강과 푸시킨이 작품을 써 내려간 넵스키 거리를 느끼고 싶었다.

그들의 발자취를 더듬으며 네바강을 따라 나는 한참을 걸었다. 운하를 따라왔던 거리만큼 되돌아가는 길에 독특한 외관이 눈에 들어왔다. 러시아의 상징처럼 굳어진 바실리 성당의 모습과 친형제처럼 닮은 모습의 사원이 있었는데, 바로 '그리스도 부활 성당'이었다.

러시아 정교회의 성당인 만큼 성당은 독특한 문양의 외벽에 벽면과 천장은 황금빛 모자이크로 빈틈없이 장식되어 있었고, 그 모습은 화려하다 못해 찬란할 정도였다.

바로 길 건너 넵스키 대로변에는 '카잔 성당'이 자리 잡고 있었다. 넵스키 대로를 다니다 보면 어떻게든 마주치게 되는 곳인데, 야간엔 조명으로 더 아름다운 곳이었다. 또한 다른 성당에 비해 관광지라는 느낌보다는 경건한 장소라는 성당 본연의 느낌이 더 많이 묻어났다.

카잔 성당을 지나 다시 네바강을 향해 넵스키 대로 쪽으로 앞으로 걸어 나와 보면 좌측에는 이삭 성당, 우측에는 아치형태의 개선문이 있었다. 100kg의 황금 돔으로 유명한 이삭 성당은 이어 붙인 게 아니라 하나의 돌덩이라고 했다. 요즘은 에이치 빔 건축 등으로 높고 큰 구조물도 쉽게 쌓아 올린다지만 과거에는 어떻게 이런 큰 기둥을 쌓아 올렸을지 놀라울 따름이었다.

광장을 가는 길목으로 여러 채의 건물과 문을 통과하자, 탁 트인

　　　　　　　　　· 여행이 삶을 바꿔놓진 않겠지만

▲ 그리스도 부활 성당

▲ 카잔 성당

광장이 펼쳐져 있었고 맞은편에는 맑은 하늘색과 흰색으로 된 건물이 길게 늘어서 있었다. 광장 한가운데 우뚝 솟아 있는 알렉산드르 기둥이 내 눈길을 끌었다. 고개를 들고 십자가를 든 천사의 형상을 보면서 원형기둥을 중심으로 그곳을 한 바퀴 돌았다.

이곳은 나폴레옹에 대한 승리를 기념해 1834년에 세운 것으로, 후일에는 '피의 일요일' 사건과 '2월 혁명'의 장소가 되기도 했다. 국가의 흥망이 발생한 한 도시에는 대개 그 중심이 되는 광장이 있기 마련인데, 나는 그 광장에 있는 에르미타주 박물관 앞에서 한동안 서 있었다.

에르미타주 박물관은 세계 3대 박물관 중 하나답게 박물관은 가이드북 설명만으로도 놀라기엔 충분했다. 이 박물관에 소장된 300만 개의 작품을 극단적인 예로 작품 한 점당 1분씩 감상한다 치고 먹지도 자지도 않고 구경해도 5년 이상의 시간이 걸린다는 것이 이 박물관의 큰 자부심이겠다.

나는 외관상의 눈요기로 만족하지 못하고 '커 봐야 얼마나 크겠어?' 하며 가벼운 생각으로 들어갔지만, 연결된 5개의 건물은 문밖에서의 생각을 단숨에 삼켜 버렸다. 나는 내부의 화려함에 입이 떡 벌어졌다. 말로 다 표현할 수 없는 화려함이 극에 달한 이 곳, 내부의 화려함은 사치를 전혀 닮지 않은 아름다움 그 자체였다.

에르미타주 미술관을 빠져나와 좀 더 걷다 보니 작은 강과 다리

▶ 이삭 성당

▶ 순양함

하나가 나왔다. 네바강 건너편 로스트랄 등대 기둥을 지나 페트로파블로프스크까지 한참 더 걸어갔다.

옛 제국의 수도로서 중추적인 위치를 점했던 도시의 질서정연한 구조와 고풍스러운 건물의 조화는 현재 최신식 건축물에도 전혀 밀리지 않았다. 그 당시 최고의 건축가들을 고용해 만든 도시답게 많은 건물들이 유럽의 양식을 골고루 옮겨 놓은 듯했다.

우울함이 감도는 겨울 하늘, 화려함과 음침함이 번갈아 뒤덮는 하늘 아래 이 도시를 수많은 러시아 문호들이 왜 사랑했는지 걷다 보니 조금씩 느껴졌다. 해가 지지 않는 백야와는 달리 상트페테르부르크의 저녁, 겨울 해가 빨리 졌다.

어느새 종종걸음 끝에 순양함 오로라호 앞에 멈춰 섰다. 이 군함은 러일전쟁과 제1·2차 세계대전에 참가했고 1917년 소비에트 혁명의 신호탄을 발사해 러시아 역사의 굵직한 자리 하나를 차지했지만 현재는 네바강 위에서 박물관으로 운용되고 있다. 1900년에 만들어진 군함이라고 하기엔 언뜻 보아서 현대식 함정과 크게 다를 바 없는 모습을 한 데다, 세기의 시간이 무색할 만큼 여전히 위용이 느껴졌다.

혁명의 시작을 포성으로써 알린 역사의 증거 위에서, 그 위용과 박력에 왠지 내 힘도 솟아오르는 것 같았다.

　　　　　　　　　　• 여행이 삶을 바꿔놓진 않겠지만

모스크바로 돌아온 뒤, 나는 다음 일정을 위해 벨라루스카야역에 들러 폴란드행 표를 미리 구매했다.

카페에서 커피를 마시며 러시아에서 있었던 일을 떠올려 봤다. 내가 떠난 이 알 수 없는 여행, 앞서 예측할 수 있는 것은 아무것도 없었다. 여행을 하다 보면 불행 중 다행이겠거니, 마음속으로 안도할 때가 숱하게 있었다. 여행은 단순해야 했지만 과정은 복잡했다. 그리고 이것이 인생과 닮은 부분이 아닐까 싶다.

나는 폴란드로 넘어가는 열차를 탔고, 비성수기였기 때문인지 사람이 없어 널찍한 3인실 객실을 혼자 썼다. 잠이 든 새벽 무렵, 누군가 문 두드리는 소리에 깼다. 그리고 예상치 못한 일이 결국 발생했다. 모스크바에서 바르샤바로 이동하려면 벨라루스 브레스트 국경지역을 넘어가야 하는데, 나는 정차 않고 지나가기 때문에 비자가 없어도 되는 줄 알았다.

그러나 어찌 됐든 국경을 통과하기 때문에 경유비자가 필요하다는 것이다. 결국 실랑이 끝에 나는 국경에서 옷도 제대로 못 챙겨 입은 채 배낭만 겨우 챙겨 열차에서 새벽 3시쯤 쫓겨났다. 달리 어찌할 방법이 없었다. 밤사이, 나의 상태는 이성과 감성 사이를 부단히 옮겨 갔다.

이곳이 어딘지도 모르는 상황에 나는 의문의 여지없이 더욱 당혹스러웠다. 집에서 떠난 후로부터 가장 큰 난관에 직면하게 되는 순간이었다.

나는 열차 대합실에서 졸지에 불법체류자 신세로 아침까지 대기할 수밖에 없었다. 대합실의 차가운 공간이 어느새 마주치는 시선으로 돌아왔다. 졸음이 달아난 지도 꽤 지났다.

나는 무의식적으로 머리를 부여잡고 자책을 하다가도 대합실에 앉아 열차에서의 일을 생각했다. 헛웃음이 절로 나는 것이, 참으로 한심하단 생각이 들었다. 말도 안 통하는 역무원이 윽박지르며 비자 보여 달라는데 잠결에 비자카드를 보여 줬던 것이다. 사전 정보의 부족함이 절실히 느껴지는 시간이었다.

아침 일찍, 나는 한국 대사관에 전화해서 벨라루스 대사관으로 연결 후 상세한 사정을 얘기했다. 일단 비자벌금을 내고 신규비자를 발급받아야 한다는데 당일이 휴일이어서 평일에 다시 와야 한다고 했다.

어쩔 수 없이 주소만 받아 적고 이곳에서 하루 체류하게 되었다. 비자가 없으면 모든 업소에서 숙박을 금지당하기 때문에, 대사관 측에서 인투어리스트 호텔로 가라고 일러 주었다.

당장 벨라루스 현금도 없고 택시를 타고 호텔까지 가야 되는데,

· 여행이 삶을 바꿔놓진 않겠지만

그 어떤 방법도 생각나질 않았다. 그때, 교차로 너머에서 경적 소리가 들려왔다. 한 택시기사가 ATM 장소를 알려 준 덕분에 급한 대로 돈을 뽑아 호텔까지 갈 수 있었다.

호텔 카운터에서는 이미 알고 있다는 듯 비자발급 후 스캔해야만 체크아웃이 가능하다고 설명하며 방 키를 내줬다. 나는 방에 들어서자마자 배낭을 내려놓고 곧바로 침대에 누웠지만 쉽게 잠에 들지 못했다.

내가 여행하는 동안에는 대사관에 전화할 일은 없을 줄 알았는데 차비는 차비대로, 숙박비에다 비자벌금까지 날아가자 심난했다. 뭐 하나 마음에 드는 게 없게 느껴졌고 어디로 튈지 모르는 상황으로 전개되었다. 계획이 어긋나니 거꾸로 끼워 맞춰지고 있는 것 같았다. 계획대로 진행됐더라면 아마 지금쯤 나는 바르샤바에 있었을 것이다.

좀처럼 삭혀지지 않던 무기력감은 밤이 찾아오고서야 진정됐다. 오늘은 모든 것이 나를 예민하게 만드는 듯, 나는 방 안 시계태엽 소리가 거슬리는 밤을 보냈다.

다음 날 유독 일찍이 눈이 떠져 피곤했지만 오늘은 비자를 발급받고 떠날 생각에 속이 후련했다. 급하게 콜택시를 불러 비자발급 기관을 찾아갔는데 문이 닫혀 있었다. 너무 이른 아침 시간이라 닫혀 있는 건가 싶었더니, 웬 안내장이 한 장 붙어 있다. 평일 중 오늘은 쉬는 날이라고 현지인이 알려 줬다.

　나는 다시 호텔로 돌아와 온갖 생각에 창밖만 바라봤다. 멀리 창 밖으로 별모양이 보였다. 나는 달리 할 일도 없었기에 일단 밖으로 나갔다. 처음엔 빨리 떠나고 싶다는 생각뿐, 나는 아무런 생각도 관심도 없는 상황이었기에 여기가 어떤 곳인지 몰랐는데 알고 보니 그곳은 '브레스트 요새'라는 곳으로 슬픔이 묻어 있는 장소였다.

　폴란드로 가기 전 나는 의외에 장소를 접하게 된 듯했다. 곳곳에 는 전쟁의 흔적들이 즐비했고 그때의 처참함이 아직도 남아 있었 다. 나는 그곳에서 뜻밖의 비극을 보았다.

　　　　　　　　　• 여행이 삶을 바꿔놓진 않겠지만

2

폴란드

．．．．．．．．．．．．

．．．．．．．．．．．．

국경을 넘어

골동품 같은 그곳, 바르샤바와 크라쿠프

참혹했던 땅, 아우슈비츠

국경을 넘어

이틀을 머무르며 절로 알게 된 길을 따라 나는 비자발급을 받으러 걸어갔다. 일찍 갔다고 생각했는데 대기인원이 상당히 많았다.

비자발급 절차가 상당히 까다로워 처음 받는 나로서는 한두 시간이면 될 줄 알았는데, 오전 내내 그곳에 머물러 있어야 했다. 게다가 발급 도중 지불비용은 은행에다 직접 내야 했기에 나는 택시를 타고 한차례 은행도 들러야 했다.

우여곡절 끝에 비자를 발급받은 나는 잠시 안도를 하며 곧바로 기차역으로 발걸음을 옮겼다. 수첩과 지도를 꺼내 들고 손짓으로 가리키며 안내원과 열심히 소통을 시도한 끝에 표를 확인할 수 있었다. 이번엔 직행으로 가는 열차가 없었다.

안내원이 오늘 갈 수 있는 한 가지 방법을 추천해 주었는데, 통근열차를 타고 국경을 넘어 테레스폴에서 갈아타는 것이었다. 나는 여러 제안 가운데 선택하지 않을 수 없었다. 결국 나는 하루라도 빨리 이곳을 떠나고 싶었기에 국경을 빠져나가기로 결심했다.

호텔로 돌아와 비자 스캔 후, 체크아웃 하고 기차역으로 다시 향했다. 기차 출입구 게이트에서 검사를 하는데 하필 이틀 전 나한테 윽박지르고 차갑게 대하던 직원이 검사를 했다. 나를 알아봤는지

• 여행이 삶을 바꿔놓진 않겠지만

꼼꼼히 체크하고 몇 번이나 살펴보는 통에 열차 타러 나가는 도중까지 시간이 다소 걸렸다.

벨라루스 '브레스트'에서 폴란드 '테레스폴'까지는 15분밖에 안 걸리는 거리였다. 나는 목적지를 코앞에 두고 48시간을 체류한 셈이었다. 나름 값진 경험이었지만 수업료 치곤 좀 비쌌다.

나는 테레스폴에 도착해 게이트를 빠져나왔다. 여기도 브레스트와 마찬가지로 검문이 심했지만 여기서부터는 폴란드여서 심리적으로 위안이 됐고, 곧바로 바르샤바까지 가는 열차를 예매했다. 그 후 한동안 나는 묘한 해방감으로 몸 안이 텅 비어진 것 같았다.

모스크바에서 폴란드까지 한 번에 갈 수 있는 것을, 나는 세 번의 열차를 갈아타고 늦은 밤이 되어서야 도착할 수 있었다. 억누르고 있던 자책들이 언제 다시 깰지 모르는 잠시 동안은 잠잠했다.

여행이란 생소하지만 처음이란 것에 전제를 두는, 그 생소한 맛이 좋아서 하게 되는 일 같다. 언젠가 내가 이곳을 다시 온다 해도 나는 또 다른 실수로 또 다른 아쉬움을 남길 것이다. 그 수많은 생소함 속에서 말이다.

골동품 같은 그곳, 바르샤바와 크라쿠프

짧은 시간이지만 나는 오전의 바르샤바 거리를 돌아다녔다. 이른 시간인 탓에 아쉽게도 문을 연 곳은 거의 없었지만, 주변 분위기에서 짧게나마 이곳이 동유럽임을 느낄 수 있었다.

내겐 폴란드하면 막연하게 떠오르는 게 있었다. 2002년 월드컵 때의 기억 그리고 영화 속 장면에서 무참히 학살당한 유대인들이었다. 나는 바르샤바 거리 곳곳에서 그들을 추모하는 동상들을 볼 수 있었고 실제 그 역사의 거리(게토)도 잘 보존되어 있는 모습을 볼 수 있었다.

역사 앞에서 타협은 존재하지 않는다. 단지 옳고 그름의 판단은 역사가 말해 줄 수 있기 때문에 아픈 역사는 잊지 말고 기억해야 한다. 현재의 내가 할 수 있는 것은 과거와의 끊임없는 마주침을 통한 각성과 반성뿐이었다.

나는 세 시간 정도 열차를 타고 크라쿠프에 도착했다. 막연히 구시가지를 돌아다니다가 한 호스텔을 발견했다. 나는 하루 동안 근교여행을 할 요량으로 호스텔에서 내일 갈 여행티켓을 예매했다.

호스텔 말고도 주변 현지 여행사에서 당일 코스로 운행하는 버스들이 있었다. 이곳에서는 대부분 이렇게 같은 장소에 모여 근교

• 여행이 삶을 바꿔놓진 않겠지만

▶ 광장

▶ 거리1

▶ 거리2

▲ 바르샤바 바르비칸

▲ 크라쿠프 바르비칸

외곽지역까지 버스로 이동한다고 했다.

나는 아우슈비츠 수용소를 목적지로 잡고 다음날 오전 투어를 신청했다.

이곳은 바르샤바와 비슷했지만 성벽은 없고 둥근 성문만 있었다. 바르비칸에서 20미터쯤 가면 플로리안스카 문이 있는데, 그 문을 통과하니 중세시대 같은 돌길로 이어진 크라쿠프 구시가지가 펼쳐졌다.

크라쿠프의 중요한 볼거리로는 구시가지 외에 바벨성과 카지미에슈가 있다. 나는 바르비칸을 시작으로 중앙광장까지 갔다.

광장 사이사이 골목길들은 오밀조밀하게 잘 정돈되어 모든 길이 중앙광장으로 통하고 있었다. 그래서인지 나는 초행길임에도 별다른 불편함 없이 잘 돌아다닐 수 있었다.

중앙광장은 유럽에서 두 번째로 큰 광장이라는 타이틀답게 복합적인 생활공간이 도시의 연결망처럼 조화를 이루고 있었고, 거리에는 악기를 연주하는 사람들이 많았다. 나는 노천카페서 커피 한 잔을 마시며 잠시 여유를 즐겼다.

광장에서 10분 정도 걸어가자, 언덕 위에 바벨성이 나타났다. 평평할 것만 같던 이곳은 폴란드의 영광을 말하듯 거대했다. 바벨성 위에서는 비스와강과 크라쿠프 전경을 한눈에 볼 수 있다.

바벨성 언덕을 내려와 비스와 강을 따라 카지미에슈 거리로 들어섰다. 카지미에슈는 유대인 거주지구로, 영화 〈쉰들러 리스트〉의 촬영 장소로도 유명했다. 카지미에슈에 있는 집들은 매우 낡았고 외벽의 시멘트가 벗겨져 벽돌 건물들이 많았다. 낡아서 버려야만 하는 것이 아니라 더욱 그 가치가 높아지는 골동품처럼 카지미에슈의 거리도 그렇게 느껴졌다.

해가 저문 후, 나는 유대인 게토 지구 지역을 둘러봤다. 영화 속의 흑백 장면과 같은 긴장감이 내 주위를 맴도는 것 같았다. 지금은 마을 주민들과 상점들로 북적거리지만, 주변 곳곳에서 희생자들의 묘지가 안장되어 있었다. 골동품 같은 세월의 아픔이 있는 도시였다.

・ 여행이 삶을 바꿔놓진 않겠지만

참혹했던 땅, 아우슈비츠

다음 날, 햄버거로 아침을 든든히 먹고 생수 하나를 넣은 채 오전 투어에 나섰다. 각 나라마다 햄버거의 종류와 맛은 다르지만 햄버거는 어디서 먹든 거부감 없이 먹기 좋은 것 같다.

이동 중에 버스에서 미리 영상으로 목적지에서 있었던 잔혹함을 다큐처럼 볼 수 있었는데, 그 특유의 긴장감은 공포를 자아내어 나를 집중하게 만들어 주었다. 홀로코스트를 다룬 다양한 소재에 대한 재현 방식은 비극을 잊지 않기 위한 미학적 접근이었다.

역사의 잔혹함을 보여 준 〈쉰들러 리스트〉와 〈밤과 안개〉 그리고 『안네의 일기』 같은 영화나 문학 혹은 각종 언론매체의 소개를 통해 많이 보고 들었던 이곳. 인종차별, 생체실험, 화장터, 인간도살장, 제노사이드 등 온갖 죽음의 단어들이 담긴 강제수용소였다.

독일어식인 '아우슈비츠(Auschwitz)'로 잘 알려진 이곳은 폴란드어로는 '오슈비엥침(Oswiecim)'이라고 했다.

수용소 정문 입구에는 '노동이 너희를 자유롭게 하리라.'라는 뜻의 강압적인 문구가 붙어 있었다. 노동은 삶의 욕구라 표현한 마르크스, 노동을 희생설로 표현한 아담 스미스를 불가피하게 떠올리게 하는 문구. 이곳은 오직 죽음으로 가는 착취의 길만 있었던 듯

▶ 철조망

▶ 가스통

했다.

　수백만 유대인들의 생지옥이기도 했던 이곳 입구 앞에서, 잘못된 사상은 매우 위험한 것이며 그릇된 해석은 더더욱 위험한 것이라는 생각에 한동안 눈을 떼지 못했다.

　강제수용소 들어가기 전에 인솔자가 오디오북을 나눠 주었고 나는 그것을 받아 입구에 들어섰다. 바둑판이 연상될 정도로 규칙적인 제1수용소의 28동 건물들은 갖출 건 다 갖춰 보이는 외관이지만 사방이 이중 고압 철조망으로 둘러싸여 있었다.

　그리고 중간중간 조명탑과 망루 등이 있어, 한번 들어온 이상 살아서 제 발로 나갈 수 없을 정도로 빈틈이 없어 보였다. 완장을 차고 우월감을 뽐내던 무리들의 기운이 느껴지는 듯했다.

　전시관에는 나치 점령 당시에 유대인 학살이 어떻게 이뤄졌는지를 생생하게 보여 주는 증거물들이 보존돼 있었다. 유대인을 선별하는 사진, 가스실로 이동하는 사진, 이외에 수용소에 끌려온 사람들이 가지고 온 물건들, 수만 컬레의 신발, 의복, 산더미처럼 쌓인 수용자들의 안경, 신체장애인의 의수족, 식기 등 상당수가 전시되어 있었다.

　여기선 남녀 구분 없이 머리카락을 잘라 매트리스와 직물을 제조했다고 하는데, 몇 톤의 머리카락이 발견됐을 정도였다고 했다.

　또한 이곳엔 수용소에 도착한 사람들을 일일이 찍어 놓은 사진

　　　　　　　　　　　• 여행이 삶을 바꿔놓진 않겠지만

들로 온통 도배된 벽이 있었다. 하나하나 뜯어볼 때마다 고통, 전율, 분노가 그들의 표정에서 가슴 깊이 전해져 왔다.

실상을 전혀 알 길 없던 입소자들은 명령 앞에 벌거벗겨진 후, '욕실·청결·건강'이라는 거짓 푯말이 붙은 가스실로 연행되어 학살되었다.

수많은 사람들이 단지 유대인이라는 이유로 죽어 간 곳, 이곳 수용소의 가스실 내부에는 손자국들이 남아 있었는데, 마치 살고자 발버둥 치던 수백만 명의 원혼이 맴돌고 있는 듯했다.

정상적인 인간의 범주를 벗어난 그들의 잔혹성과 야만성이 얼마나 무서운 결과를 가져왔는지 인간의 소름끼치는 만행에 나는 발걸음이 무거웠다.

제 몸 하나 가누기 힘든 혹사에도 살고자 하는 것은 그저 인간의 본능이기에 폭동을 일으킬 법도 했지만, 당시 나치는 철저한 계획에 따라 유대인끼리 계급을 나눠 서로 관리하게끔 구조를 만들어 놓았다고 한다.

삶에 대한 인간의 강한 의지는 부단한 공포로 깨지고 마는데, 살기 위해 더욱 무자비해져야 하는 상황은 늘 이곳에 놓여 있었단 생각이 들었다.

수용소 벽면에는 "과거를 기억하지 않는 자들은 잘못을 반복할 수밖에 없다."는 글이 새겨져 있었다. 현재의 우리가 별다른 죄책

감 없이 어떤 일을 반복하는 행위가 이와 같은 것일까.

아우슈비츠 수용소를 보고 난 후 나는 3km 정도 떨어진 아브계진카 수용소로 이동했다.

나는 길게 뻗은 녹슨 철길 따라 걸었다. 점점 더 걸어 들어갈수록 수북이 쌓여 있는 시체들과 형체를 알 수 없는 토막 난 시체들이 내 눈앞에 보이는 듯했다. 그러나 당시 상황을 상상에 맡기는 것은 부질없는 짓이었다. 이미 과거가 된 그때의 현실은 참담했을 뿐이니까 말이다.

대량학살이 극에 달했을 무렵, 화장된 시체의 재가 아직도 남아 연못을 회색으로 물들이고 있다는 곳. 황폐한 땅의 환경은 조금씩 회복되어 갔고, 상처가 아물 듯 그렇게 참혹했던 땅은 무성하게 자란 풀들로 덮여 있었다.

아우슈비츠 수용소에 수감자가 늘어나자 그 몇 배에 이르는 제2수용소를 브젠진카에 세웠다. 당시 300개동 이상이었다는 이 수용소는 현재 45개 동의 벽돌건물과 22개동의 목조건물만이 남아 있다.

이렇게 열악한 곳이 폴란드 전역의 수용소 가운데 가장 좋은 시설이었다는 사실은 충격적이었다. 평범한 사람들이 벌인 자행이라기에는 전혀 평범하지 않았기에 어쩌면 본성 자체의 악함은 인간의 약함에서 비롯된 게 아닌가 하는 생각이 들었다.

· 여행이 삶을 바꿔놓진 않겠지만

3

두바이

....

....

두바이 스톱오버

두바이의 화려함 속에 가둔 하루

두바이 공항 터미널에서

두바이 스톱오버

- - - - - - - - - - - -

머리에 박혀 버린 수용소에 대한 기억 때문인지 오전까지 잠을 잤
는데도 머리가 아팠다. 나는 오후 2시 비행기를 타기 위해 몸보다
무거운 컨디션으로 택시를 탔다.

여행 떠나기 전 일정을 짤 때 폴란드에서 직항을 타고 인천으로
돌아오려 했는데, 스톱오버 정보를 얻으면서 생각지도 못하게 두
바이를 일정에 포함시켰다.

두바이까지 소요 시간은 6시간 정도였다. 나는 한국으로 돌아가
기 전, 두바이행 비행기에서 자고 밤에 도착하면 하룻밤을 새고 두
바이 투어를 하기로 계획했었다. 그런데 몸 상태가 안 좋아지자 그
저 이제 집에 가서 쉬고 싶은 간사한 마음이 들었다.

2008년 고등학생 때 TV에서 한창 '두바이 프로젝트' 열기로 뜨
거운 때가 있었다. 온통 모래뿐인 중동 사막에서 인공 스키장과 상
상의 도시가 펼쳐지고, 세계 최고층 빌딩, 세계적인 초호화 호텔,
세계 최대의 인공 섬 등 하나같이 세계인의 이목을 사로잡는 소재
들 때문에 나는 TV에서 눈을 뗄 수가 없었다. 그렇게 나는 '나중에
꼭 가 봐야지.'라고 생각했던 곳에 오게 되었다.

12월에서 2월 사이가 여행하기 가장 좋을 날씨라 했는데도 꽤나

• 여행이 삶을 바꿔놓진 않겠지만

후텁지근했다. 이곳은 찜질방에 들어가 있는 것처럼 숨이 턱턱 막히는 날씨였다. 추운 지방에서 더운 지방으로 오니 적응도 쉽지 않아, 옷부터 갈아입고 배낭을 공항 물품보관소에 맡겼다.

편의점에 들어가서 이온음료로 목을 축이니, 어느새 두통도 가라앉았다. 공항에 연결된 통로를 따라 지하철을 타고 움직이려 했는데 공항에서 우왕좌왕하는 사이 지하철 운행이 종료되는 바람에 하는 수 없이 택시를 탔다. 나는 두바이 해변이 보이는 팜주메이라 근처 바라스티 바(barasti bar)로 향했다.

밤늦게 택시를 타고 중심지를 가로질러 가는 동안 화려한 건물과 여러 매장에 전시되어 있는 슈퍼카에 나는 눈을 떼지 못했다. 택시기사는 당연하다는 듯, 뭘 이런 걸로 신기해하는 거냐는 듯한 말투로 아예 매장 앞까지 가서 구경시켜 주었다.

모종의 기대감은 나의 맥박을 뛰게 했다. 사실, 어디를 가도 쉽게 볼 수 있는 것이기도 한데 이곳이 내 눈을 휘둥그레 만들었던 건, 그 공간의 힘이 아닌가 싶다.

거리는 온통 내 시각을 자극하는 것들로 가득했기에 약간의 흥분된 가슴으로 나는 가볍게 돌아다녔다. 기름 1리터가 물값 1리터보다 싼 곳이라 그런지 기름 걱정 없이 달리는 고배기량 차량들의 거친 엔진 소리가 마치 포뮬러 트랙을 방불케 했다.

내가 바라스티 바에 들어갔을 때만 해도 축구중계를 즐기는 현

أبوظبي

Emirates

U.
A.
E.

الإمارات العربية المتحدة

DUBAI

지인들, 해변을 바라보고 맥주 한잔하는 연인들, 클럽처럼 일렉트로닉 음악에 몸을 흔드는 사람들이 있을 것이라는 두바이에 대한 환상이 있었다. 하지만 두바이는 여느 개발도상국과 마찬가지로 외국인노동자들이 열심히 일을 하고 있었고, 엔진 소리 이외엔 생각보다 적막했다.

대부분의 바가 새벽 2시~3시쯤 문을 닫으므로, 나는 미리 나와 움 수케임 비치(umm suqeim beach)까지 9km 정도를 걸어 버즈 알 아랍 호텔 야경을 구경하러 갔다. 무지갯빛 조명으로 화려하게 빛나는 그곳은 한눈에 확 들어왔다.

20시간 후면 앞에 보이는 버즈 알 아랍 호텔에 들어간다는 생각에 피곤보다는 들뜬 마음이 더 앞섰다. 나는 긴 밤 내내 혼자 파도 소리를 들으며 날이 밝아 오기를 고요히 기다렸다. 왜 나는 밤샘을 자처했던 것일까, 분명 잠을 설쳐도 될 만큼 모든 것이 나를 사로잡았다.

잠깐 정적이 흐르는가 싶더니 자동차 한 대가 다가왔다. 상향등을 켠 채 나에게 가까워졌다. 친근하게 "Hey, what's up, friend? What are you doing?" 하며 제복 입은 남자 둘이 나에 대해 엄청 궁금하기라도 한 것처럼 질문들을 해왔다. 처음엔 전혀 예상하지 못했지만, 알고 보니 말로만 듣던 두바이 경찰이었다.

나는 곧바로 여권을 보여 주었다. 여기서 밤새는 중이라고 하면 왠지 경찰차를 타고 이동하게 될 것 같은 예감에, 나는 저기 보이는 버스 알 아랍 호텔 투숙객이며 잠깐 밖에 나와 걷는 중이었다고 둘러대니 좋은 밤 되라며 쿨하게 보내 줬다.

내내 잦은 실수로 고충을 겪던 내가 눈 깜짝하지 않고 대처한 상황에 웃음이 새어나왔다.

늘 긴장이 지난 자리는 졸음과 배고픔이 다음 타자로 들어서게 마련인가 보다. 나는 인근 주변을 살피다가 24시 편의점을 찾을 수 있었다.

빵과 커피로 잠시나마 허기를 채우며 해뜨기 전까지 편의점의 동양인 종업원에게 두바이에 대해 이것저것 물어봤다. 종업원은 귀찮을 법도 했지만, 오히려 이 시간에 여기에 있는 내가 신기했던지 먹을 걸 좀 더 건네주었다. 그러고는 본인이 일을 마치는 아침까지는 여기에 있어도 된다며 내게 장소를 제공해 주는 친절을 베풀었다.

• 여행이 삶을 바꿔놓진 않겠지만

두바이의 화려함 속에 가둔 하루

어느덧 날이 밝았다. 나는 걸어서 가까운 지하철역까지 가려고 했는데 종업원이 웬만하면 택시나 버스를 타라고 권했다. 그 이유를 나는 곧 알 수 있었다. 날이 밝자 새벽의 선선함은 온데간데없고 두바이에는 찜통더위가 몰아쳐 왔다.

건널목이 보이지 않는 회전교차로, 편도 4차로의 거대한 도로의 번잡함 속에서 급기야 되돌아가야 하는 상황에 봉착했다. 이른 아침이어서 좀처럼 물어볼 사람도 보이지 않았다. 결국 가로질러 가던 것을 멈추고 땀범벅이 된 상태로 지하철역을 찾아 나섰다.

두바이에서 첫 번째 장소로 찾아 나선 곳은 인터넷으로 사전예매를 마친 부르즈 칼리파 전망대였다. 이곳은 지하철역 두바이몰과 연결돼 있었지만, 이제까지 봤던 통로와는 달리 꽤 오래 걸어야하는 통로였다.

부르즈 칼리파는 상업 시설, 거주 시설, 오락 시설 등을 포함한 대규모 복합 시설을 갖추고 있다. 우리나라 기업이 건설한 빌딩으로, 현재까지 완성된 초고층 건물 중에서 가장 높다고 알려진 부르즈 칼리파는 한국의 63빌딩을 세 번 쌓아 올린 것보다 70m가 더 높고 뉴욕의 엠파이어 스테이트빌딩보다는 2배가량 높은 곳이

왼쪽부터 ▶
부르즈칼리파 전경1, 전경2, 모노레일(인공섬 가는 길), 아틀란티스 호텔

었다.

말이 140층 높이지, 도무지 그 높이가 피부에 와 닿지 않았는데 엘리베이터를 타고 전망대까지 올라가서야 나는 그 높이를 새삼 실감할 수 있었다. 전망대에서 바라본 두바이 시내 모습은 미니어처처럼 작았고 사막 한가운데 펼쳐진 신세계처럼 보였다.

오후쯤 되니 햇볕은 더욱 뜨거웠다. 나는 더 이상 걷기도 벅차서 택시를 탄 후, 부르즈 알 아랍 호텔로 이동했다. 두바이의 상징이 된 이 돛단배 모양의 7성급 호텔은 실내 인테리어에 수백 톤의 순금을 쏟아부은 만큼 화려함의 극치를 이룬다고 한다. 잠은 못 잘지언정 내부로 들어가서 밥이라도 먹어 보자는 생각에 사이트에 접속해 준수이 뷔페 예약을 했다.

단지 밥 먹으러 가는 것뿐인데 왠지 모르게 떨렸다. 호텔 입구 앞에서 예약명단을 확인 후, 나는 한참을 들어가서야 바닷가에 우뚝 선 7성급 호텔을 볼 수 있었다.

이곳의 뷔페음식은 전 세계인의 입맛을 상대해야 하기 때문에 다양한 나라별 음식들로 구성되어 있었다. 하지만 너무 큰 기대를 한 탓일까, 생각보다 맛은 별로였다. 애초에 맛이란 건 이곳에 들어온 기대와는 별개였기에 나는 주변을 마저 돌아다녔다.

호텔의 위치가 해변 앞이어서 그런지 호화로운 보트와 선박들이 즐비했고 곳곳에선 연회가 열리는 듯 보였다. 처음에는 다른 삶을

• 여행이 삶을 바꿔놓진 않겠지만

보는 것 같아 어리둥절하면서도 새로운 느낌이 나쁘지는 않았다. 단 하루일지언정 나는 이곳의 화려함 속에 오늘 하루를 가둬 두었다.

▶ 부르즈 알 아랍 호텔

▶ 해변

- - - - - - - - - - - - - - - - - -

지하철을 타고 자정까지 두바이 공항 터미널로 갔다. 물품보관소에서 배낭을 찾고 티케팅을 거쳐 보딩패스를 받은 후, 물품은 수하물로 맡겼다.

비행기 탑승 시간은 새벽 3시. 남는 시간 동안 머릿속으로 이번 여행을 돌이켜보았다. 일상으로부터 분리된 듯한 하루에 몰두해 있다 보면 다음을 고려하기보다는 즉흥적으로 행동할 때가 있었다. 그리고 막상, 해 보니 별것 아니었던 일들은 참으로 많았다.

실재하는 것들을 실제로 볼 때 나는 생각을 달리하지만, 대상 자체는 변하지 않은 채 있는 그대로 있을 뿐이었다. 이와 달리 간접 경험이 실제 대상 앞에서 얼마나 무력했었는지 알게 됐다. 그전까지 보고 들었던 것들은 어찌 되었든 전부 타인의 관점이자 이야기였다. 그것은 단지 정보만을 전달할 뿐이지 그 이상의 것에 대해서 나는 알 길이 없었기에, 직접 부대끼며 배운 것의 가치는 남다른 것임을 실감했다.

많은 여행은 견문을 넓힌다는 차원에 그치지 않고 다양한 생각으로 깊이를 안겨 주며 내적 감정을 단단하게 하는 방법일 것이다.

그뿐만 아니라 여행은 준비하는 과정이고 그 과정이란 끝나는 지점까지 나와 동행할 것이다. 그 과정 속에서 나는 삶을 영위하기 위한 처세술을 배울 것이고, 내게 필요한 지침서를 만들어 갈 것이다.

나는 그 끝에 내가 쓴 지침서의 내용이 무엇일지 참으로 궁금했다. 삶과 여행이 닮은 점은 바로 그런 과정의 묘미가 아닐까.

시간 변경선을 지나 비행기 창밖으로 일몰의 불그스름한 빛이 구름을 적시는 것을 보았다. 지금 이 순간에도 그 섬세한 기억들은 꿈결처럼 물들고 있다.

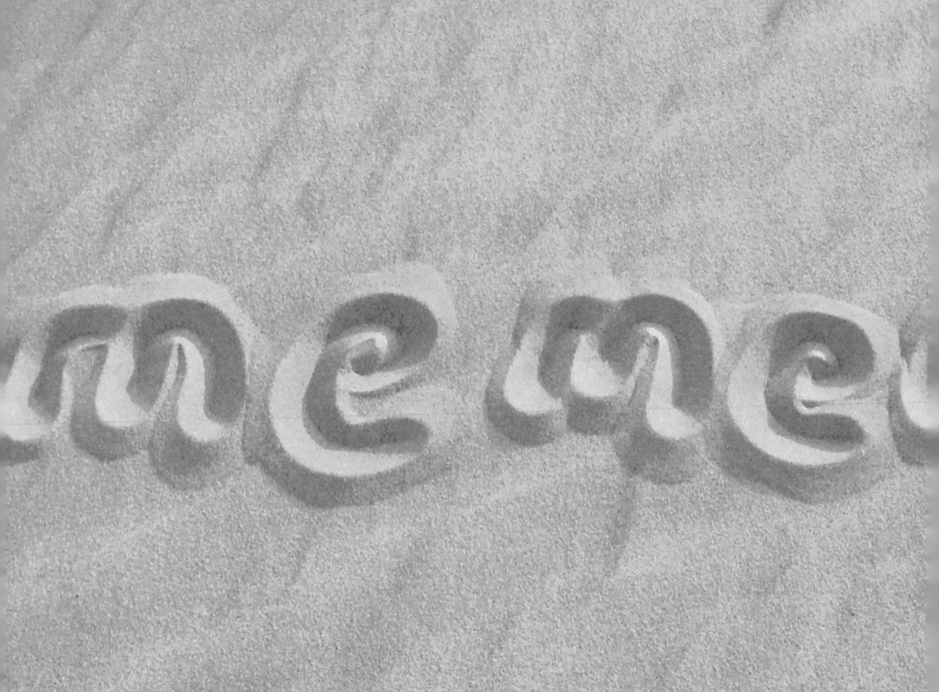

to mori

제 2부

여름,
뜨거운 가슴까지

중국

티베트

네팔

인도

무엇이 나를 이토록
여행을 떠나게 만드는가

무엇이 나를 이토록 여행을 떠나게 만드는가. 몸속의 무언가가 강렬히 발산되는 것 같은 기분으로 집을 나설 때의 맛을 알아 버린 건지, 역마가 낀 사람처럼 일단 가 본 이상 한 번만 갈 수는 없는 것 같았다.

배낭여행이란 말은 누구에게나 낭만적인 느낌을 준다. 그건 아마도 미지에 대한 동경에서 나오는 마음이 아닐까 싶다. 그러나 여행이 순조롭지 못할 때, 처음이란 마음은 180도 달라지기도 한다.

이번엔 똑같은 실수를 피하기 위해 나라별 비자부터 알아보고 인도를 가기 위해 예방접종 맞을 준비도 마쳤다.

체크사항

- 인도예방접종(말라리아, A형 간염, 장티푸스), 인도비자
- 중국비자
- 티베트비자, 여행허가증[2]

　　　　　　　　　　• 여행이 삶을 바꿔놓진 않겠지만

나는 이번 여행의 경로인 중국, 네팔, 인도에 대한 사전 정보를 알아보던 중 특이 사항을 발견하게 됐다. 그건 바로 티베트가 일반 여행객 혼자서는 출입할 수 없고 중국정부의 원칙에 따라 티베트 자치구 여행을 위한 여행 허가증, 현지인 가이드 전용차량이 필요하단 규정과 입국절차가 상당히 까다롭다는 것이었다.

그래서 처음엔 한국에서 티베트로 갈 수 있는 여행 동호회를 통해서 가려 했으나 하필이면 내가 가려는 날짜에 모집인원이 미달이어서 자동으로 취소되었다. 결국 미루거나 나중에 가야 하는 상황이 되자, 그동안 공들여 놓은 것들이 하루아침에 날아가는 것 같아 힘이 빠졌다.

지푸라기라도 잡는 심정으로 타 카페들을 수소문한 끝에, 나는

---

2 여행허가증은 비행기 또는 칭짱열차를 이용할 때 확인한다.

티베트 현지 여행사를 통해 외국인들과 가는 방법을 찾아냈다. 다행히도 티베트에서 네팔로 넘어가는 8일 동안의 그룹투어가 내가 떠나는 방학 시기에 진행 중이었고 동행인원이 모여 있는 상태였다.

나는 빠른 예약을 위해 짧은 영어작문 실력으로 매일 같이 이메일을 주고받으면서 예약금을 중국은행계좌로 송금하고 여행 허가증, 티베트 열차 예약번호가 나올 때까지 집에서 기다렸다.

가기 전부터 나는 이미 여행지로 떠났거나 그쪽으로 달려가고 있는 듯했다.

예상한 목적지까지 아무 탈 없이 가는 것도 중요했지만 떠나기에 앞서 어떤 배낭을 사용해야 할지, 짐은 어떻게 꾸려야 할지 등의 자잘한 과정들에 대한 생각과, 새로운 여행에 대한 들뜬 마음에 집을 나서기 전부터 설레었다.

여행에 대한 환상에 사로잡히면 크게 실망하는 경우가 다반사인

• 여행이 삶을 바꿔놓진 않겠지만

데, 나 역시 여행에 대한 환상은 있었다. 여행이란 것이 후회로 찾아오든 그 반대든 우선, 나는 몸이 기억할 수 있는 또 하나의 일을 만들기로 했다. 나는 여행을 통해 알았고 또 알아 가고 있다. 애초에, 만족이란 없는 것임을 말이다.

死去之前
Before I die.

Before I die, I want to _keep ten y_

Before I die, I want to ___去一次法___

Before I die, I want to _enjoy ever_

Before I die, I want to _travel to ever_

Before I die, I want to _smile at stra_

fore I die, I want to _kiss w_

4

중국

베이징, 그 거대함에 압도당하다

만리장성에 오르다

칭짱열차, 티베트를 향해

오후 12시 30분, 베이징행 비행기를 타기 위해 김포공항으로 가는 버스를 탔다. 몇 번 타 봤다고 몸에 익숙해졌는지 지하철을 타는 듯 마음은 여유로웠지만 내 배낭은 모든 걱정들을 나 대신 짊어지고 있기라도 하듯 터질 것만 같았다.

약 2시간 정도 걸려 베이징 국제공항에 도착했다. 나는 AIRPORT EXPRESS를 타고 Terminal 2 역까지 간 후, 5호선 장지충루(Zhangzizhonglu)역까지 지하철을 타고 예약한 페킹야드(Pekingyard) 호스텔로 갔다.

지하철은 생각 외로 한국 못지않게 잘 갖춰져 있어 쾌적했는데, 이곳의 여름은 절정에 다다른 더위였다. 결국에는 도착과 동시에 긴장 풀린 한숨을 쏟아내야 했다. 나는 호스텔 체크인 후, 6인실 공간에 짐을 풀었다.

베이징은 어떤 도시일까. 어릴 때부터 수없이 들어 봤던 단어여서인지 몰라도, 처음 와 본 곳임에도 불구하고 불편함보다는 막연하게나마 친근함으로 다가왔다.

하지만 그것은 착각에 가까웠다. 도로 건너편에 위치한 호화건물과는 상반된 마을에는 블록마다 공중화장실이 있었는데, 그곳엔

• 여행이 삶을 바꿔놓진 않겠지만

칸막이도 없었다. 아무렇지 않은 현지인의 반응과는 달리 나는 당혹스러움을 감출 수 없었다.

나는 7월 말의 찜통 같은 베이징 거리를 빠져나와 지하철을 타고 천안문으로 향했다. 천안문은 명나라 때에 건축된 것이지만 5세기라는 긴 세월이 무색할 정도로 잘 보존되어 있었다.

주말의 천안문은 인파가 어마어마하게 몰려 있었다. 광장으로 들어가는 줄만 얼핏 봐도 100m는 돼 보였다. 뉴스에서 중국 국가 행사나 관련 보도가 있을 때마다 그 배경에 등장하는 천안문 광장을 실제로 보고 있자니, 그 거대함에 압도당하는 듯했다.

천안문은 광장의 동서남북에 각각 하나씩 총 네 개의 건물로 이루어져 있었는데 동쪽은 중국 국가 박물관, 서쪽은 인민대회당, 남쪽은 마오쩌둥 기념관, 북쪽은 자금성으로 통하는 천안문이었다.

나는 천안문 광장을 통해 자금성(포비든 시티)으로 들어갔다. 직진 코스인 입구에서 출구까지도 상당히 길어 몇 차례 궁궐 문을 통과해야 했다. 너무 넓고 큰 나머지 각종 동물 동상 말고는 아무것도 없어 횅해 보였다.

여기엔 이유가 있었다. 당시부터 자금성은 바닥에서 나무 한 그루도 뚫고 나오지 못하도록 모든 바닥을 벽돌로 마감했는데, 이는 자객의 침입을 막기 위해서였다고 한다. 실제로 잡초 하나 비집고 나올 만한 틈도 보이지 않았다.

궁궐 안은 8,886개의 독립된 방이 존재했는데 어지간해선 자객 같은 수단을 통한 황제나 왕족 암살은 어림도 없을 듯한 구조였다. 자금성 내에 유일하게 나무를 볼 수 있는 어화원은 황제를 위해 만든 정원이었고, 그곳은 출구에 근접해 가고 있음을 알리는 이정표와 같은 곳이었다.

도무지 크기를 가늠할 수 없어, 나는 자금성을 한눈에 내려다 볼 수 있다는 경산공원을 올라가 보기로 마음먹었다.

경산 공원은 자금성 옆에 있는 3개의 호수를 만들기 위해 퍼낸 흙으로 쌓아 올렸다는 인공 산이다. 중국의 궁궐을 바라보고 있자니, 문득 조선 왕들은 참으로 검소한 생활을 한 것 같다는 생각이 들었다. 시가지의 미세먼지 틈에서도 거대한 자금성은 가려지지 않았다.

저 멀리 보이는 사람들이 무더위에 내는 신음소리가 내가 서 있는 꼭대기 정자까지 들려오는 듯했다. 저 많은 인파가 여기로 올라올 거라는 예감에, 나는 그냥 빨리 그 자리를 벗어나 버렸다.

그 후, 호스텔에서 만난 여행객의 권유로 오게 된 스차하이는 낮에는 산책하기 좋고 밤이 되면 또 다른 분위기가 연출됐다. 아기자기하면서도 옛 정취를 물씬 풍기는 뒷골목 주거지인 후통과는 달리, 스차하이 메인 입구는 친숙한 서양식 커피 간판으로 시작했다. 호수 따라 이어진 먹자골목엔 한자 간판이 즐비했고, 해가 저물어

• 여행이 삶을 바꿔놓진 않겠지만

시원해질 쯤엔 만개한 연꽃과 매미 소리가 호숫가의 분위기를 한 층 더 북돋아 주었다.

호수 근처에는 '하지 마세요'라고 떡하니 금지 표시가 붙어 있는 데도 여기서 낚시하고 수영하는 사람들을 보고 있자니 하지 말라면 더 하고 싶은 사람의 마음은 어디를 가나 똑같구나 싶었다.

어두워지기 시작하자, 더위를 피하려는 사람들이 삼삼오오 넓은 거리로 모여들기 시작했다. 거리에는 돗자리를 펴고 휴식을 취하는 가족들, 연 날리고 팽이를 돌리는 청년들, 지나가는 사람을 관객 삼아 음악을 틀어 놓고 그룹으로 짝지어 무도회 분위기를 만드는 어르신들, 그리고 공기의 질감을 느끼듯 태극권을 품위 있게 연마 중인 사람들로 가득했다.

이곳의 사람들은 어른은 어른대로 아이들은 아이들대로 장소나 시선을 의식하지 않고 각각의 다양한 방법으로 주말의 마지막 밤을 역동적인 모습으로 보내고 있었다. 덩달아 절로 흥이 나기도 했고, 과연 어떤 형태의 삶이 더 좋은 방법에 가까울지에 대해 생각하기도 했다.

그전까지만 해도 일부 중국인들이 행하는 부도덕하고 미개한 행동들을 보고 얕잡아 보는 경향이 있었다. 그러나 오늘 하루 베이징을 돌아보는 동안 내가 지금껏 가지고 있었던 중국에 대한 선입견을 상당수 벗을 수 있게 된 계기가 된 건 분명했다.

· 여행이 삶을 바꿔놓진 않겠지만

호스텔로 돌아가기 전, 현지 여행사에서 라싸행 열차티켓을 대리 예약해 놓은 상태여서 나는 그것을 미리 찾으려고 베이징 서쪽 역으로 갔다. 기차역 규모 또한 지금까지 보아 온 것들과는 다를 만큼 상상을 초월할 정도로 거대했을 뿐만 아니라, 군인들의 삼엄한 경비로 약간의 긴장감을 갖게 만들 정도였다.

　전광판에 열차와 플랫폼의 번호가 나와 있어 찾기는 어렵지 않았다. 하지만 우리나라 명절 때 줄 서 있는 것처럼 터무니없이 줄이 길었고, 매표소 직원에게 여권과 여행허가증을 보여 준 끝에 한참이나 지나서야 라싸행 티켓을 받을 수 있었다.

　사실 중국인들 또한 티베트(라싸)를 손꼽히는 여행지로 여기고 있어서 표를 구하기가 여간 어려운 일이라고 들었는데, 다행히도 나는 좌석 구매에 성공했다.

만리장성에 오르다

- - - - - - - - - - - - -

내가 묵고 있는 호스텔 룸메이트 4명도 중국인이었고, 그들도 만리장성을 간다고 했다. 어제까지만 해도 혼자 덕승문에서부터 버스를 타고 팔달령까지 가려 했는데, 그들과 함께 이곳을 나서게 되었다.

중국인 친구가 역 주변에서 택시기사와 몇 마디 나누더니 흥정 끝에 나를 앞좌석에 앉으라 했다. 나는 그 덕에 뜻밖으로 장거리를 편히 갈 수 있게 되었다. 마음이 한결 편해진 나는 가는 동안 단잠을 청했다. 그리고 한참 후 잠에서 깨니, 멀리서 용 한마리가 꿈틀거리는 것처럼 느껴지는 긴 성벽이 보였다.

만리장성, 누구나 한 번쯤 들어보았을 단어. 중국의 대표적인 관광지이며 인류 역사상 최대 규모의 토목공사가 이루어졌다는 바로 그 유적이었다.

진시황의 권위가 엿보이는 만리장성은 북방민족의 침입을 막기 위한 것으로 고대의 중요한 방어용 거점이었다고 한다. 성벽이기도 하지만 우스갯소리로 만리장성은 세계에서 가장 긴 무덤이라고도 했다.

만리장성 축조 시 많은 노동자들이 희생되었다는데, 얼마나 많

· 여행이 삶을 바꿔놓진 않겠지만

은 사람들이 만리장성을 쌓기 위해 중장비도 없이 피땀 흘리며 노동을 했을까? 나는 노동의 고통에 대한 생각을 멈출 수 없었다.

7월의 더위만큼이나 긴 계단들이 가파르고 좁게 이어져 있었다. 남녀노소 구분 없이, 많은 사람들이 그곳을 올라가고 있었다. 능선 따라 이어진 성벽을 오르다 보면 중간중간에 기점이 되는 망루는 나름 쉬어 갈 수 있게 돼 있었다.

직접 그 규모와 산세를 보니 중국이란 땅덩어리가 얼마나 거대한지, 그리고 옛날 중국 황제의 권력이 얼마나 강했을지 피부로 직접 느껴지는 듯했다. 그 옛날, 지어진 만리장성만 봐도 사람이 바다를 이루었다는 인해전술이 딱히 불가능한 일도 아니겠구나 하는 생각도 들었다.

오르면 오를수록 관광객 수는 줄어들고 있었다. 나는 한참을 올라가 휴식다운 휴식을 취했다. '산 넘어 산'이라는 표현이 내 가시거리 밖으로 이어졌다.

내려가는 길에 보니 얼마나 많은 인파가 왔다 갔는지 출구 쪽 계단돌이 짓눌려 움푹움푹 파인 채 세월의 흔적을 고스란히 말해 주고 있었다. 내가 본 건, 만리장성의 일부지만 평생 기억에 남을 그 충격은 만리장성의 길이만큼 이었던 것 같다.

나는 저녁 8시 라싸행 열차를 타기 위해 룸메이트와 작별 인사를 하고 베이징 서역으로 갔다. 빨리 간다고 갔는데도 늘 그렇듯 피난 행렬을 연상케 하는 역내 사람들 모습은 그들 인구수에 걸맞다고 해야 할지, 줄은 매우 길고 뒤죽박죽이었다. 번지수를 잘못 찾은 것이길 바라면서도 이미 여행자가 다 되어 버린 내 마음은 설렘으로 가득했다.

누워서 쉴 수 있는 좌석은 이미 매진된 상태여서 이틀을 앉아서 가야 했다. 하지만 내가 그토록 원해서 온 길이었기에 서서 못 가겠냐는 심정으로 그냥 그렇게 가기로 했다.

• 여행이 삶을 바꿔놓진 않겠지만

▲ 대기 줄

▲ 생각

칭짱열차, 티베트를 향해

티베트 여행을 시작하기 위해 조금이라도 관심을 가졌던 사람이라
면 한 번쯤 들어 보았을 만한 칭짱열차(하늘열차). 다른 열차와는 다
른 특징들이 많은 이 열차는 티베트 여행에서 빼놓을 수 없는 것이
기도 하기에, 티베트로 향하는 열차에 오르는 것만으로 이미 티베
트 여행의 반은 이뤘다고 볼 수 있다.

　칭짱열차의 노선은 1,956km. KTX로 서울에서 부산까지의 거
리가 400km 정도 되니, 약 5배 정도 되는 길이다. 북경 서역에서
라싸까지 4,064km이고 시간은 43시간 정도 소요되는데, 아마 지
금쯤 라싸에서 시가체까지 연장 구간 253km를 연결했을 테니 완
공되었다면 그야말로 만리장성의 철도 버전인 셈이다.

　세계 초강대국을 꿈꾸는 중국에게 티베트는 경제적으로나 군사
적으로 가치가 높은 곳인 데다가 베이징에서 라싸를 잇는 칭짱열
차는 신자유주의로 팽창하는 중화정책의 상징이기도 했다.

　아주 높은 특수한 지역으로 이동하는 칭짱열차에서 바라보는 풍
경 속에 천연자원이 매장돼 있다고 하니, 과연 '신의 땅'이라 불릴
만하다.

　고산병이 올 수도 있기 때문에 칭짱열차에는 산소조절장치와 의

료진이 항상 준비되어 있어 걱정 없이 이용할 수 있었지만, 대부분 현지인들만 탄다는 3등석 좌석 칸은 불편하기 짝이 없었다. 그러나 티베트로 가고 있다는 사실이 이내 불편한 마음을 들뜬 마음으로 가라앉혀 주었다.

나는 녹차를 한 잔 마시면서, 머릿속에 티베트에 대한 궁금증을 가득 채웠다.

다음 날은 왠지 도떼기시장에 온 것처럼 어제와 달리 중국인 목소리가 워낙 크고 시끄럽게 들려왔다. 일어나 주변을 둘러보니 바닥에 신문지 깔고 누워 자는 사람, 내 앞좌석 전부를 차지하며 누워 자는 사람 등이 눈에 띄었다. 열차 내, 사람들은 저마다 다양한 방법으로 숙면을 취하고 있었다.

하루 만에 온몸이 뻐근하고 답답하기 시작했지만, 창가에 들어오는 맑은 햇빛으로 위안 삼았다. 엽서에나 나올 법한 절경이 끝없이 펼쳐지는 창밖에서 눈을 뗄 수 없었다.

드넓은 초원에 노란 유채꽃이 풍요롭게 펼쳐졌고, 파란 강과 호수는 손 뻗으면 닿을 것 같이 선명했다. 곳곳에는 뿔이 커다란 야크들이 여기저기 자연스럽게 서 있었다.

출발 당일까지만 해도 분명 깨끗하던 열차였는데, 하루 만에 좌석들은 온통 음식 포장지와 쓰레기로 넘쳐났다. 역무원이 몇 번을 치우기는 했지만 그 정도론 아무 소용이 없었다.

· 여행이 삶을 바꿔놓진 않겠지만

점점 지대가 높아지는지 열차 안이 쌀쌀해지고 급기야 추워져서 밤에는 몇 번이나 잠을 설쳤다. 그렇게 뜬눈으로 추위를 견디다가 아침에 해가 뜨고 나서야 잠시나마 눈을 붙일 수 있었다.

이때까지만 해도 몸에서 별다른 반응이 없기에 나한테는 고산병 같은 게 없나, 하며 착각을 하다가 나중에서야 두세 배로 고통이 찾아오는 것을 느꼈다. 누구나 고산지대에 가게 되면 건너뛸 수 없는 고산증세로 인한 고통을 겪는다고 하니, 아직 증세가 미미하여도 어디에서인가 찾아들 것임에는 틀림없었다.

라싸에 근접하고 있었다. 길에선 곳곳에 방목된 동물들이 보이기 시작했다. 때마침 역무원이 건강신고서 용지를 나눠 주었다.

눈에 익은 한자가 보이는 기재란에는 이름과 날짜를 쓰면 됐다. 도무지 알 수 없는 기재란들은 대충 짐작으로만 해결해야 했지만, 이런 방법이 통할 리는 없었다. 내심 누군가 적어 주길 바라는 마음으로 주위를 두리번거리자, 옆 칸의 젊은 친구들이 자기의 일처럼 적극적으로 도와주었다.

이러한 현지인들의 태도는 나 같은 여행객이 그 나라를 떠올릴 때, 가장 좋은 기억으로 남는다. 여행객에게 보내는 따뜻한 관심이야말로 전 세계를 아울러 자국을 위한 제일 큰 봉사가 아닐지. 물론 그들은 순수한 선의에 의해서 하는 일일 뿐, 봉사한다는 생각 자체를 하지 않겠지만 말이다.

5

티베트

라싸에서의 첫째 날
- - - - - - - - - - - - - - -

해발 3,700m 지대에 있는 도시는 어떨지 궁금했는데, 라싸는 사
방이 산으로 둘러싸여 있었다. 뻥 뚫린 하늘을 보니 세계의 지붕이
라는 이름이 걸맞는 듯했다. 공포감이 들 정도로 끝없이 깊고 파란
하늘에 햇빛만큼 따가운 매미 소리가 사방으로 울려 퍼지고 있
었다.

역으로 마중 나온 가이드가 티베트에 온 걸 환영한다며 티벳 전
통 스카프 '까딱'을 건네주고 숙소까지 픽업해 줬다. 그는 몇 번이
고 두통은 없는지, 다른 아픈 곳은 없는지 물어보고 오늘은 가급적
푹 쉬라고 재차 강조했다.

그러나 이틀을 열차에서 앉아만 있었더니 몸이 근질거렸고, 강
렬한 태양과 청아한 하늘이 너무 아름다워 쉬고만 있기엔 조금 답
답했다. 결국 고산증세를 생각하기 전에 발이 먼저 움직였다. 결국
나는 숙소 주변 시장통을 돌아다녔다.

투박하게 생긴 건물들은 꾸밈없이 단조로워 보였다. 곳곳에 오
성홍기가 꽂혀 있고 군인들의 경계가 삼엄한 것을 보니, 뜨거운 태
양에 빨갛게 익은 티베트인들의 삶이 그리 좋아 보이지는 않았다.
티베트의 수도 라싸의 얼굴 역시, 굳어 있었다.

· 여행이 삶을 바꿔놓진 않겠지만

내가 생각했던 티베트의 이미지는 산속 깊은 골짜기에 문명이 발달하지 않은 산골 국가 같은 것이었다. 그렇게 내겐 추측만이 무성했던 이곳, 라싸는 좋든 싫든 중화사상의 유입으로 하루가 다르게 화려해지는 환경 속에 급격한 변화를 맞이하고 있었다.

우후죽순 생겨나는 레스토랑과 잘 정비된 도로, 평소에 흔히 볼 수 있었던 브랜드들이 건물 곳곳 스며 있었다. 라싸는 그렇게 빠른 속도로 발전하고 있는 것 같았다. 그러나 과거와 현대의 조화를 잘 이루어 가는 듯하면서도 그들만의 전통성을 그들의 의사와는 관계없이 잃어 가고 있는 것은 아닌지 하는 생각도 들었다.

마치 나는 이곳 현지인인 것처럼 한 시간 정도를 돌아다녔는데 순간, 올 게 왔구나, 하는 싸한 느낌이 들었다. 혹시나 피해 갈 수도 있을 줄 알았는데, 나 역시 고산병에 맥을 못 추었다.

처음 겪는 미칠 듯한 두통과 호흡곤란에 공포감이 몰려왔다. '이러다 죽는 거 아냐?'라는 생각과 어디가 한계점인지 구분도 안 되었다. 미리 반응이라도 보였더라면 조치라도 취했을 텐데, 그럴 겨를도 없이 고산병은 예고도 없이 상상 이상의 고통으로 찾아왔다.

그에 반해, 멀쩡하게 생활하는 티베트인들을 보고 있자니 그들이 보통 사람처럼 느껴지지 않았다. 약도 없는 상황에서 나는 도움이 절실히 필요했다.

결국 숙소 카운터 직원에게 다급히 머리가 아프다고 호소하니

· 여행이 삶을 바꿔놓진 않겠지만

응급약을 줬다. 나 같은 관광객을 수없이 봐 왔던지 카운터 직원은 나를 향해 아무것도 아니라는 제스처를 취했다.

어쨌든 나는 성급하게 움직였던 대가를 혹독히 치렀고, 잠자는 내내 고산병과 싸우느라 기진맥진했다. 결국 내 속의 모든 것을 비워 낸 끝에 다음 날이 겨우 오고 있었다.

포탈라, 주인 잃은 궁

- - - - - - - - - - - - - - - -

언제 그랬냐는 듯 자고 일어나니 평상시와 다를 게 없이 그렇게 나는 고산 환경에 적응해 가고 있었다. 현지 가이드 인솔 하에 서로 다른 나라에서 온 외국인 5명과 함께 티베트에서의 8일간 여행이 시작됐다.

라싸 시내 어디에서나 볼 수 있을 정도로 언덕 끝자락에 우뚝 솟아 지어져 있는 포탈라궁은 언젠가 영화에서 본 적이 있었는데, 베일에 가려진 한 나라의 신비로움이 강하게 끌렸었다. 그리고 지금, 그 웅장한 기세와 자태를 눈으로 직접 보니 입이 떡 벌어졌다. 그렇게 벌어진 입 사이로 내 숨과 함께 포탈라의 외로움이 들어오는 듯했다.

깊은 탄식 속에 고요함이 요동치고, 감히 내가 담지 못할 세월의 거대한 조용함이 고스란히 담겨 있었다. 오랜 역사가 깃든 고대 문화유적들은 가늠할 수 없는 과거라는 장벽을 지녔다. 그리고 우리는 모두 약속이라도 한 듯, 그 앞에서 잠시 눈을 떼지 못했다.

13층 높이의 포탈라궁은 백궁과 홍궁으로 나누어졌는데, 백궁은 정치적 공간으로 사용됐고 홍궁에는 역대 달라이 라마의 영묘 탑들이 안치되어 있었다. 규모에 걸맞게 크고 작은 방들이 미로처럼

• 여행이 삶을 바꿔놓진 않겠지만

연결되어 있으며 어둠을 밝히는 촛불과 코끝을 찌르는 비릿한 야크 버터의 짙은 향이 가득했다.

다른 곳과 달리 포탈라궁은 사진 촬영이 엄격히 제한되고 있었다. 일부 찍을 수 있는 외관 몇 군데를 제외하면 내부는 전혀 촬영할 수 없었다.

산줄기처럼 이어진 포탈라궁을 빠져나와 빼곡히 둘러싸여 있는 마니차, 즉 구리로 만든 긴 원통형의 경전 통을 돌리며, 나는 경건한 마음으로 티베트의 찬란한 문화와 유적들이 그대로 잘 보존되길 빌었다.

하지만 현재 티베트는 14대 달라이라마가 인도로 망명가 있는 상황이고, 포탈라 궁은 주인을 잃은 상태였다. 이렇게도 찬란한 문화를 지닌 왕국이 지금은 '독립'이라는 단어조차 함부로 사용해서는 안 될 처지에 놓여 있다는 것이 서글프게 느껴졌다.

경전이 써진 오색 깃발(타르초)이 휘날려도 모자랄 판에 중국 오성기가 더욱 뚜렷하게 펄럭이고 있는 것을 보니, 식민지 시절의 우리나라를 보는 것 같아 그들의 아픔이 절절히 다가왔다. 그러나 그저 지켜만 볼 수밖에 없는 현실에 티베트인들의 독립과 자유에 대한 울림이 공중을 떠다니는 듯했다.

나는 포탈라궁에 이어 세라 사원으로 향했다. 라싸 3대 사원 중 하나인 세라 수도원은 오후 3시부터 법과 진리에 대하여 서로 묻

▶ 포탈라궁1

▶ 포탈라궁2

고 대답하는 토론 형식의 교리문답을 보기 위해 많은 인파가 정원으로 모여들었다. 나는 경계선 밖에서 더 잘 보이는 자리 틈을 비집고 들어가 교리문답이 시작하기를 기다려야 했다.

승려들이 모이기 시작하더니 누가 먼저랄 것 없이 여기저기서 큰 소리와 함께 양팔을 있는 대로 벌려 사정없이 손뼉을 쳤다. 어느 종교에서도 볼 수 없는 이 독특한 모습은 교리와 진리의 충돌을 의미한다고 하는데, 도무지 알 수 없는 표정으로 이 진지한 동작을 보일 때마다 카메라 셔터 소리가 요란하게 들렸다.

나도 나름 양손을 쳐 보았지만 보기와는 다르게 잘 되지 않았다. 손뼉 치는 행위에도 숙련이 필요한 듯했다.

· 여행이 삶을 바꿔놓진 않겠지만

사원에서 신앙과 마주하다
- - - - - - - - - - - - - - - - - - - -

이른 아침부터 먹구름이 하늘을 반 정도 집어삼키더니 급기야 거센 빗줄기가 떨어졌다. 하지만 신기하게도 햇빛이 줄을 그어 놓은 듯한 일정 지역부터는 햇살이 비추어 마치 땅 위에 두 개의 하늘이 존재하는 것 같았다.

다행히 이곳의 변덕스런 하늘은 언제 그랬냐는 듯 다시 돌아왔고, 나는 라싸 시내에서 9km 떨어진 드레풍 사원으로 이동했다. 드레풍 사원은 티베트어로 '쌀더미'란 뜻이다. 멀리서 사찰을 보면 흰 쌀더미가 쌓여 있는 것 같다고 해서 붙은 이름이라고 한다.

나무가 거의 없는 바위산 비탈길에 자리 잡고 있는 티베트 최대의 사찰인 드레풍 사원은 한때 15,000명의 승려가 거주하는 세계 최대의 사원이었지만, 중국과의 정치적 갈등 등 좋지 않은 상황으로 지금은 대부분 주인 없는 빈 건물이 되어 버렸다고 한다. 하루가 다르게 변하는 티베트의 현주소 같이 느껴져 마음이 무거웠다.

오르막길 중간쯤 오르자, 돌에 그려 놓은 불화와 42m 높이의 탕카 벽이 나왔다. 신께 제사를 지내며 매년 이곳에서 축제가 열리는데, 그들의 기도만큼이나 나는 조금씩 언덕에 오를 때마다 또 고산증세가 재발할 것 같은 불안감에 가파른 호흡으로 나지막하게 관

왼쪽부터 ▶
드레풍사원, 창문, 세라사원

▲ 바코르거리

▲ 조캉사원

세음보살의 진언인 '옴마니반메훔'을 읊조리며 대법당인 촉첸으로 향했다.

내부에는 셀 수 없을 정도로 많은 불상들이 있었고, 최대 1만 명까지 수용 가능하다는 이곳은 그 규모만으로도 얼마나 많은 승려들이 있었는지 알 수 있었다. 비록 내가 갔을 때 사원은 한산했지만, 그들은 변함없는 신앙심을 보여 주기라도 하듯 법당으로 향하는 승려들의 발걸음을 종종 볼 수 있었다.

승려들은 한 사람이 앉을 수 있는 크기로 바짝 붙어 정좌를 하고 있었다. 입을 떼기 전부터 묵직한 긴장감으로 침잠했다.

낯설고 기괴한 음색의 독경 소리가 어두운 법당에 무섭도록 울려 퍼졌다. 단체로 외는 저음이 일치하면서 분위기는 한껏 고조되는 듯했다.

끝날 무렵, 밀려오는 정적은 나를 공허하게 했지만 계속 자리를 뜨지 않고 경전을 들여다보는 승려들을 보고 있자니 배움과 깨달음의 자세는 부분적으로 끈기와의 싸움이 아닌가 싶었다.

티베트에서 가장 많이 보는 장면 중 하나가 애나 어른이나 한 손에 뭔가를 돌리고 있는 것이다. 이곳에선 빙빙 돌아가는 물건을 들고 다니는 사람들을 흔히 볼 수 있었는데, 그들에게 있어 그것은 삶의 한 부분이기보다는 삶 그 자체로 보였다.

'마니차'라고 불리는 이 성물은 만트라가 적힌 종이가 들어 있어

한번 돌릴 때마다 기도하는 것과 같아 깨달음을 얻고자 만들어진 도구로서, 원래는 문맹인 사람들을 위해 불경을 읽은 것과 같은 효과가 나게 하기 위해 티베트인들이 고안한 데서 출발한 것이라고 한다.

그들은 글을 읽을 수 없는 이들까지도 불심을 깃들게 할 수 있게 하기 위해 배려한 것이었다. 앞서 내가 손으로 돌렸던 경전 통들의 이동식 축소판이라고 보면 되겠다.

다음으로 조캉 사원에 방문하였다. 공안들의 날카로운 감시 속, 숨죽여 살아가는 티베트인들에겐 오직 신앙만이 유일하게 기댈 곳인 것 같았다.

낮 동안의 폭염에도 불구하고 조캉 사원 주변은 북새통을 이뤘다. 티베트 불교의 정점이자 티베트를 통일한 토번 왕조 제33대 송첸캄포 왕이 당나라 태종의 조카딸인 문성공주를 맞이하기 위해 647년에 건립하였다고 한다.

조캉 사원이 중요한 이유는 송첸캄포에게 시집온 문성공주가 당나라에서 가져왔다는 석가모니상이 있기 때문이었다. 조캉 사원은 한때 문화혁명으로 인해 돼지우리로 전락하기도 했는데, 보수공사로 재건되었다고 전해진다.

티베트의 상징 하면 달라이라마의 포탈라궁이 제일 먼저 떠오르겠지만, 사실 티베트인들에게는 포탈라궁보다 더 중요한 정신적인 상징이 되는 곳이 바로 이곳 조캉 사원이라고 한다. 일명 '티베트의 심장'이 여행자에게는 포탈라궁에 있고, 순례자에게는 조캉 사원에 있다는 말이 있을 정도이다.

그래서인지 많은 순례자들이 반나절 줄을 서서라도 조캉 사원에 몰렸다. 실내는 어둡고 낡은 길목들은 보수공사로 공간이 비좁은 나머지 어수선했다.

나는 먼 길에서 온 순례자들을 배려하는 차원에서 곧장 3층 사원 위로 올라갔다. 그리고 라싸 시가지를 한눈에 들여다보았다. 저 멀리 포탈라궁이 보였고 바코르 거리에는 코라(순례) 하는 사람들이 많았다.

곧이어 조캉 사원에서 나와 바코르 거리에 들어섰다. 바코르 거리는 이곳 사원을 둘러싼 팔각형 거리이다. 사람들은 이 길을 시계 방향으로 돌면서 기도를 하며 조캉 사원으로 향한다.

이 팔각형 거리를 중심으로 뻗어 나간 골목들은 거미줄처럼 얽혀 있어 크고 작은 상점들이 즐비한데, 이곳 상점 수만 해도 자그마치 천 개가 넘는다고 한다. 얼핏 보면, 어릴 적 우리의 재래시장 모습과 크게 다르지 않은 듯했다. 티베트에서 가장 큰 시장답게 거리에는 신기한 토산품들의 볼거리로 가득했다.

어느 곳이나 상점의 내부는 눈을 뗄 수 없게 만드는 아기자기함으로 가득 차 있었다. 마름모 문양의 고리가 눈에 띄었는데, 이는

· 여행이 삶을 바꿔놓진 않겠지만

영원함을 상징한다고 했다. 그것과 함께 길함을 뜻한다는 무지개 색의 견고한 뜨개질 천을 보고 있으니 정말 잡귀가 오다가도 물러날 것 같았다. 구경할 때는 몰랐는데 사발그릇처럼 생긴 싱잉볼의 묘한 소리는 나도 모르는 사이에 나를 차분한 상태로 점점 빠져들게 했다.

다음 날이면 라싸를 떠나기에 성급하게 돌아다니다가 나는 그만 어처구니없는 실수를 하나 저질렀다. 바코르 거리를 반대 방향으로 돌고 있던 것이었다. 그 아무도 알려 주는 사람 없이 저마다 '옴마니반메훔'만 중얼거리고 있을 뿐이었다.

나는 한 바퀴를 돌고 나서야 눈치를 챘고, 원점인 사원 앞에 섰다. 그리고 다시 수차례 돌았다. 거기에서부터 출발해 거기에로, 그저 나는 시간의 흐름에 따라 발길 닿는 대로 걸었다. 나의 냉철함은 적당한 자학을 통해 무너졌고 몰입에 이르렀다.

결국, 세상은 돌고 도는 순환 고리로 나를 제자리에 돌려놓았다. 신의 가호 아래, 나는 궤도를 이탈한 자의 영혼을 스쳐 지나가고 있었다.

티베트인 삶에 있어 떼려야 뗄 수 없는 신앙, 태어나 죽을 때까지 어쩌면 우리들은 삶의 이전으로 돌아가기 위해 끊임없이 성찰을 반복하는 게 아닐까 생각했다.

매일같이 조캉 사원 앞에서 절하는 수많은 사람 중, 저 먼 곳에서부터 오체투지를 하며 라싸로 오는 사람들이 있었고 그들에겐 대개 조캉 사원이 종착지였다. 긴 마라톤 길에 접어든 후, 가장 낮은 자세로 몸을 비워 내는 수행은 외롭고 고달픈 일일 터이다. 그러한 행위는 인간의 정신으로 무장하여 한계를 넘어서려는 것으로 보인다.

신체의 다섯 부분이 땅에 닿으며 낮은 자세로 기도를 한다는 오체투지의 뜻을 안다 할지라도 그 마음까지 흉내 낼 수 없기에 내 시선은 그 아래 머물러 있었다. 어쩌면 가장 풀기 쉬운 매듭일지라도 저마다 풀고 싶지 않은 매듭이 있을 것이다.

지극히 개인적인 사연을 담은 오체투지의 아름다운 장면은 감동이었고, 아무것도 모르는 어린 꼬마 애들이 따라 하는 건 해맑음이었다. 뜨거운 태양 아래, 나는 그 두 가지를 보면서 걸었다. 그리고 내가 할 수 있는 가장 낮은 자세로 순례자를 바라봤다.

티베트인들뿐만 아니라 우리들에게 신앙은 과연 어떤 의미일까. 신앙이 목마름인지 아니면 몸에 밴 습관인지 나는 궁금했지만, 전자든 후자든 간에 신앙심은 단지 유무의 차이보다는 심적 상태에서 우러나오는 깊이의 문제로 보였고 신앙의 원리에 있어서는 차이가 없어 보였다. 종교가 아닌 신앙으로서 지극히 개인적인, 각자의 신앙은 그 사람을 지탱하는 원천이며 삶의 활력소인 것은 분명했다.

· 여행이 삶을 바꿔놓진 않겠지만

자동적으로 돌리게 되는 마니차. 라싸의 때 묻지 않은 순수함이 내 마음에 차분히 내려앉았다. 나는 그들처럼 마니차를 돌리며 현 시대를 함께 살아간다는 것만으로도 삶에 책임이 따른다는 것을 느꼈다.

라싸에 머물면서 포탈라궁을 바라보는 것 하나만으로도 고산병 증세는 견딜 만한 것이었다. 그동안의 아른거렸던 기다림이 현실 로 다가온 때문일 것이다. 돌아서면 그리워질 것 같은 '옴마니반메 홈'이 아직 귓가에 계속 맴도는 것 같았다. 그리고 나는, 내가 살아 온 그곳까지 그 진언이 바람과 함께 퍼지기를 바랐다.

• 여행이 삶을 바꿔놓진 않겠지만

신들의 안식처, 암드록초

떠나는 당일 아침, 우정공로를 통한 장시간 이동을 앞두고 모두들 들떠 있는 듯했다. 행선지 중 '시가체'는 라싸에서 350km 정도 떨어져 있어 약 7시간을 이동해야 하기에 일찌감치 차량에 짐을 싣고 떠날 준비를 했다. 그리고 얼마 가지 않아서 우리는 시가체를 잇는 캄바라 고개(해발 4,774m)를 넘어야 했다.

라싸 외곽으로 빠져나가 미시령고개와 같은 능선을 수차례 넘을 때까지 나는 산 위에 호수가 있으리라고는 전혀 예상하지 못했다.

캄바라 고개 정상에 오르자, 전갈 모양의 곡선으로 뻗은 암드록초 호수가 내려다보였다. 호수는 짙푸른 에메랄드빛이어서 '푸른 보석'이라고도 불리는데, 주위를 둘러싼 호수와 들판의 색이 물감을 뿌려 놓은 듯 진하게 물들어 있었다.

호수가 숨을 쉬는 것처럼 호수의 물결이 흔들렸고, 물살이 자갈에 부딪혔다. '신들의 안식처'라는 말에 걸맞게 호수는 잔잔하고 평온했다.

암드록초 호수를 지나 다시 차를 타고 가는데, 이전까지와는 달리 무척이나 추웠다. 그 이유는 이번엔 전보다 더 높은 해발 5,000m 카루라 고개를 넘어 카루라 빙하를 지나가고 있었기 때문

▶ 얌드록초

▶ 우정공로

이었다.

　이곳은 티베트에서 빙하지대를 가장 가까이 볼 수 있는 곳인데, 반팔티 한 장 걸친 상태로 빙하를 보고 있으니 추운 것이 당연했다. 고개를 내려오니 가늠할 수 없을 양의 빙하수가 하나의 호수가 되어 흐르고 있었다. 길을 멈추고 자연의 신비로움을 잠시 감상했다.

　이날부터 5일간 1,000km 정도를 차량으로 이동해야 했다. 이윽고 우리는 티베트 제2의 수도 시가체까지 도착해 먼 타지에서 밤을 맞이했다.

　　　　　　　　　　　　　　　　• 여행이 삶을 바꿔놓진 않겠지만

시가체에서 젊음을 느끼다

- - - - - - - - - - - - - - - - - - -

'티베트 제2의 도시'로 불리는 시가체는 라싸의 3대 사원에 이어 4
대 사원으로 불리는 타쉬룬포 사원이 있는 곳이다. 사원은 산 중턱
에 자리 잡고 있어 시내 중심에서도 보였다.

티베트인들에게 정신적인 지도자로 추앙받는 인물로서 라싸에
달라이라마가 있다면 시가체에는 판첸라마가 있다. 내가 시가체의
지도자에 대해 처음 알게 된 계기는 박지원의 『열하일기』에서였다.

그는 조선의 사절로서 청나라의 건륭제의 70세 생일을 축하하기
위하여 황제의 피서산장이 있는 열하에 갔다고 한다. 사절단은 열
하에서 같은 이유로 티베트에서 온 판첸라마를 만나게 되고 황제
의 명령으로 판첸라마에게 경배해야 했다.

청 황제는 판첸라마를 자신보다 더욱 높이 인정하고 공경했기에
명분을 중시했던 조선사신단은 변방 승려에게 어쩔 수 없이 예를
표해야 했고, 그는 그때의 상황을 상세히 기록해 놓았다고 한다.

판첸라마는 청나라 황제는 물론이고 그 이전 황제들에게도 인정
받는 티베트 지도자였는데, 바야흐로 시간이 흐르고 지금은 점령
지 중국의 압박에 그 존재는 온데간데없었다. 만약 연암이 지금의
티베트 상황을 알게 된다면 뭐라고 했을까? 역사에는 만약이 없지

만 새삼 궁금했다.

　일정대로라면 오전에 타쉬룬포 사원을 가야 했지만 가이드와 현지인과의 의사소통에서 마찰이 빚어진 탓에 우리는 많을 시간을 허비하게 되어 결국 노천시장만 둘러보았다.

　노천시장은 양고기와 야크고기를 적나라하게 손질하며 손님 맞을 준비에 분주했다. 시가체 여느 저잣거리와 마찬가지로 이곳 역시 활기가 넘쳤다. 나는 보는 재미, 먹는 재미를 짧게 즐기고 서남쪽으로 130km 떨어진 내륙 깊숙한 땅 사키아로 떠났다.

　1320년 원나라 황제가 불경을 공부하라는 명목으로 고려 충선왕을 2년 동안 티베트로 유배를 보냈다고 하는데 그 장소가 사키아 사원으로 추정된다고 한다. 사키아 사원을 오기 전까지만 해도 지도상에 이런 곳이 있나 싶을 정도로 사키아 사원으로 가는 길 위에는 모든 게 메말라 있었다.

　사키아 사원의 외벽은 샤카파의 삼색 로고인 붉은색, 흰색, 검은색으로 되어 있었다. 오지에 자리한 탓에 대부분의 건물들이 문화혁명의 피해를 받지 않아 창건 당시 그대로 보존되어 있는 곳이기도 하다. 그래서 '제2의 둔황'이라고 불릴 만큼 오래된 책들을 비롯해 문화재급 유물 또한 많이 보관되어 있다. 언제 손때가 묻었는지 알 수 없이 사원 한편에 빼곡히 쌓인 장서는 비밀스러워 보였다.

　반나절을 가야 할 만큼 갈 길이 멀어서 떠나기 전에 가이드를 따

　　　　　· 여행이 삶을 바꿔놓진 않겠지만

라 주전부리를 사러 마을 구멍가게에 들렀다. 유치원생쯤 보이는 여자아이가 티베트어를 공부하다 말고 카메라가 거슬렸던지 방으로 후다닥 들어가 버렸다.

아이가 떠난 그 자리에서 나는 한글을 막 배우던 어린 시절을 떠올렸다. 어느 꼬마 아이의 몸짓이 내게 작은 기억을 잠시간 되뇌게 했다. "내가 기억한다는 것을 어떻게 기억할 수 있는 건가"라는 의문이 들었다.

압축적으로 어떤 것을 상기 해낼 때, 과거의 행위는 지금의 기억에 밀접하게 연관됐다.

황량하고 척박한 티베트고원에선 어디서나 경전을 적어 놓은 오색 깃발이 바람을 따라 펄럭이고 있는 모습을 쉽게 볼 수 있었다. 이곳 사람들이 말하는 '바람이 경전을 읽는 소리'라는 것을, 나는 바람과 함께 춤을 추는 오색 깃발에서 강하게 느낄 수 있었다. 오색과 하늘의 조화, 오색에 펼쳐진 들판과 색의 조화 영험함이 사방에 내려앉은 이곳, 내 몸에도 그 좋은 기운이 스미는 듯 상쾌했다.

한 번 앓고 나면 끝날 줄 알았던 고산증세는 더 높은 가쵸라 고개에서 다시 두통에 시달리게 했다. 가쵸라 고개를 내려와 비포장도로를 달렸다. 앞차가 고장 났는지 앞차에 타고 있던 사람들이 우리 차로 합류했다.

방금 전까지 좋았던 날씨도 나빠졌다. 초모랑마(대지의 여신)를

▲ 사키아 사원

▲ 수도승

보기 위해 가는 길은 쉽지 않은 듯했다. 그럼에도 불구하고 멀리 설산이 보이자, 나는 끊임없이 감탄을 내뿜을 수밖에 없었다.

여행 멤버 중 프랑스 여성이 블루투스를 연결해 음악을 크게 틀었는데, 하이라이트 부분의 멜로디가 입에 감기어 전부 따라 불렀다.

fun - we are young

tonight~	(오늘 밤)
we are young	(우리들은 젊어)
so let's set the world on fire	(그러니 세상을 불사르자)
we can burn brighter	(우린 밝게 불탈 수 있어)
than the sun	(태양보다)

나보다 열 살 남짓 많은 누나 형들이 '오늘 밤 우리들은 젊어.'라고 하는데, 왠지 모르게 지금껏 서툰 감정 표현에 인색했던 나에게 젊음에 대한 미안함이 뜨겁게 반응했고, 늦은 이 시간 차 안에서 눈자위가 따뜻해져 왔다.

얼마쯤 달렸을까? 해가 진 뒤 어스레한 상태로 흘러가는 시간 앞에서 오늘 내가 할 수 있는 일 중 최선은 오늘을 사랑하는 것뿐

· 여행이 삶을 바꿔놓진 않겠지만

이란 생각이 들었다.

앞서 자동차가 고장이나 시간을 지체한 탓에 일정보다 늦어졌지만, 먼 길을 달려 오늘의 최종 목적지인 쉐가르(팅그리) 마을에 도착했다. 가로등 불조차 없는 야심한 밤, 주변만 간신히 비추는 약한 조명이 깜박거린다.

운전사는 용케도 잘 찾아왔고 우리는 사람의 손길 닿은 지 오래되어 보이는 허름한 숙소에 머물러야 했다. 전기마저 나가 촛불 하나를 피워 놓고 그 앞에 옹기종기 모두 모여 앉았다. 따뜻한 온기라고는 촛불 하나가 전부였고, 이불마저 눅눅해 겉옷을 두껍게 걸쳐 입고 잔뜩 웅크리고 자야 했을 정도로 불편한 게 한두 가지가 아니었다.

잠자리는 그렇다 쳐도 화장실은 재래식인 데다 문을 열고 밖으로 나가 복도 끝 쪽으로 가야 했는데, 짙은 어둠뿐 어떤 방향도 가늠할 수 없어 휴대폰 불빛에 의지해 어둠을 더듬거리기를 오래 했다.

빛나야 할 것만 빛나는 칠흑 같은 밤하늘에 쏟아질 듯한 별들을 더 깊숙이 들여다봐야 했고, 도시 전체를 감싸 버리는 거대한 하나의 그림자 속에 보이는 어둠의 음영은 내일 아침 어떤 형상으로 보일지 무척 궁금해졌다.

아침이 밝자 나는 떠나기 전 숙소를 둘러보았다. 이곳 안도여관은 백이면 백 거의 예외 없이 EBC트레킹이나 국경을 향하는 여행자들이 머물고 가는 곳이었다. 그래선지 곳곳에서 한국산악동호회 단체를 비롯한 많은 여행 단체가 다녀간 흔적이 있었다.

베이스캠프 입구까지는 100km 정도를 더 가야 했다. 지금까지 왔던 길과는 다른 자갈길을 지그재그로 돌며 거칠게 올라가는데, 고지대에 조금씩 가까워 갈수록 산소가 부족해지는 게 느껴졌다. 다들 숨소리가 거칠어졌고 두통을 숨기는 듯 상기된 얼굴로 모두들 말이 없이 창틈만 바라봤다.

마침내, 우리는 분지처럼 이뤄진 텐트촌에 도착해 짐을 풀었다. 텐트촌은 이름만 호텔이지 숙소형 천막이나 마찬가지였다. 따뜻한 차를 한 잔 마신 후, 미니버스로 최대한 천천히 천막으로 구성된 주변을 가로질러 초모랑마 전망대까지 갔다.

티베트에서 에베레스트는 '대지의 여신'이라는 뜻인 '초모랑마'로 불리며 네팔에서는 '세계 어머니 여신'이라는 '사가르마타'라고 불린다고 한다.

강렬한 기운이 연속되는 지역, 나는 한걸음 걷는 것조차 힘들었

· 여행이 삶을 바꿔놓진 않겠지만

▲ 안도여관

▲ EBC가는 길

다. 매번 다른 바람의 강도는 내 **뺨**을 때리는 것 같다가도 손으로 어루만지곤 했다. 구름에 가려졌지만 보일 것 같은 만년설을, 나는 긴 시간동안 기다렸다. 꿈쩍도 않는 만년설 앞에서 무덤덤하게 서 있다가도 만년설을 보게 되리란 기대는 마음속에서 반복을 멈추지 않았다.

롯지 숙소로 내려와 고산증세로 고통스러워하는 동료를 보고 있었다. 나도 곧 그렇게 될 것 같아 내내 불안했다.

이날 밤은 기온이 뚝 떨어져 도무지 여름의 날씨라고는 느낄 수 없었다. 끙끙 앓으며 억지로라도 나는 잠을 청해 보려 했지만 밤새 가쁜 숨을 바삐 토해 내기 일쑤였다. 유독 내 숨소리만 크게 들리는 것 같았다.

난방이라고는 땔감을 태우는 게 전부였는데, 그런 걸로는 별 도움이 되지 못했다. 방법이란 고작, 아침까지 추위를 견뎌 내며 하루를 재촉하는 것뿐이었다.

나는 군대에서 강화도 바닷가의 비바람을 맞으며 근무를 서 봤기에 어느 정도 추위에는 이골이 나 있었지만, 이곳의 추위는 차원이 달랐다. 나는 촛불이 흔들리듯 벌벌 떨다가도 온몸을 쥐어짜며 지독한 한기를 버티고 있었다. 몸을 들썩일 때마다 찬 공기가 언 이불 속으로 스며들었다. 천장으로 보이는 하늘만 지독히 깊어지는데 옆에서 들려오는 코고는 소리가 못내 신기할 정도였다.

· 여행이 삶을 바꿔놓진 않겠지만

결국, 나는 추위와 두통을 떨치기 위해 몸을 이리저리 뒤틀며 해 뜨기까지 기다렸고 준비를 안 하고 간 대가를 혹독히 치르고 있었다.

다음 날, 불어오는 찬바람이 적막을 깨는 아침이었다. 아침에 본 사람들은 몰골이 영 말이 아니었다. 모두들 하루 만에 초주검 상태로 짐을 쌌다.

설산이고 뭐고 내팽개치고 무조건 마을로 내려가고 싶었다. 내려가는 길목에서 우리는 세계에서 가장 높은 곳에 위치한 룽북 사원을 들렀는데, 수도승 대신 양 한 마리가 마중을 나와 있었다.

이른 아침에도 안개는 자욱했고 곳곳에는 비박하는 사람들이 제법 있었다. 여기서 베이스캠프까지는 8km밖에 안 되는 가까운 거리지만 MTB 자전거로 올라가는 사람들의 모습은 자전거 타기 좋아하는 나의 심장까지 덩달아 뛰게 만들었다. 고산 특성상, 마치 내가 자전거를 타기라도 한 듯 호흡이 가빠 오는 것 같았다.

어제 묵었던 안도여관에서 간단히 배를 채우고 떠났다. 기나긴 우정공로의 마지막 언덕인 라룽라 고개를 지나 구절양장 길을 오르락내리락했더니 이윽고 환상적인 길로 접어들었다. 병풍처럼 늘어선 히말라야 위로 솜사탕 같은 큼직한 뭉게구름이 떠 있었다. 티베트에서의 마지막 날이라 생각하니 못내 아쉬움이 느껴졌다.

니알람 마을을 거쳐 장무까지 이어지는 내리막길은 계속되었다.

· 여행이 삶을 바꿔놓진 않겠지만

고도가 낮아지면서 삭막했던 고원의 풍경은 계속해서 달라졌다. 언제 황량한 고원과 설산이 있었냐는 듯, 주변은 내려갈수록 초록으로 녹아들고 있었다. 어느새 새벽의 짙은 안개가 햇볕으로 바뀌었고 날씨 변화에 민감한 만큼이나 시들시들했던 내 상태도 차츰 회복되는 듯했다. 계절의 온도와 감정의 기복이 교차할 때, 적당함을 찾으려 애쓰지만 매 순간 타협할 수 없음을 알아 갔다.

장무는 티베트에서 네팔로 넘어가는 마지막 지역인데, 파곡하 계곡을 사이에 두고 국경을 이루고 있는 마을이다. 이곳은 특이하게도 길이 오직 하나밖에 없었다.

계곡엔 폭포가 있었는데 엄청난 물줄기가 쏟아지면서 안개를 만들어 내고 있었다. 깊은 골짜기에서 폭포가 쏟아 내는 강한 물줄기, 그곳에서 피어오르는 안개는 매우 짙었고 무척이나 아름다웠기에 나는 차를 몇 번이나 멈추고 싶었지만, 그저 뒤돌아보는 게 전부였다.

산중턱에 자리한 이 국경 마을은 검문소에 도착해서도 급격한 절벽 구간으로 인해 한없이 내리막길로 이어지고 있었다. 멀리서 바라본 경사는 보기만 해도 아찔할 정도였다. 그리고 그동안 지나왔던 곳의 높이를 다시 한 번 실감할 수 있었다.

나는 이런 곳에서 교통체증이 일어날 거라는 생각을 못했었는데 조금 힘겨워 보이는 대형트럭들이 좁은 통로를 줄지어 티베트와 네팔 간 물자를 나르고 있었다. 이는 산동네에서 보기 드문 볼거리였다.

나는 티베트에서 여행을 같이한 외국인 친구들과 함께 맥주를 한 잔씩 마시며 다음 일정을 공유했다. 그들과 나는 네팔 카트만두로 간다는 공통된 계획으로 모여 있었다. 내가 네팔에서 번지점프를 할 계획이라고 했더니, 그들도 할 예정이고 마침 다음 날 갈 예정에 있으니 내게 같이 가자고 했다. 얼떨결에 응하긴 했지만 막상 내일 간다 하니 살짝 겁이 났다.

평소 당연하게 여긴 아주 사소한 일, 그 사소한 일이란 바로 함께한 사람들과 오랜 시간 같은 차량을 탔다는 것이다. 나는 아무것도 아닌 이 사소함 속에서 따뜻함과 편안함, 사람 냄새와 그리고 젊음이라는 좋음을 조금 배웠고 나는 기억을 채울 수 있었다. 그렇게 길게 느껴졌던 우정공로도 끝이 났다.

따시델레![3]

---

3 상대방에게 행운과 축복을 기원한다는 티베트 인사

• 여행이 삶을 바꿔놓진 않겠지만

▲ 우정공로 장무로 가는 길

▲ 우정공로 장무 산동네

FACES
LOUNGE
JAPANESE
CHINESE
NEPALI
CUISINE
First Floour
CARGO
The Teriyaki Restaurant
FISHTAIL SPA
ADVENTURE
CARGO

6

네
팔

어릴 적, 살았던 재개발 직전의 산동네를 닮은 작은 건물들이 이곳
에도 있었다. 한참을 내려가자 국경 출입 관리소가 보였다. 출입
관리소 앞은 네팔 코다리 지역으로 가려는 여행객 및 현지인들로
어수선하고 혼잡했다. 출입국 건물에는 '중화인민공화국'이란 말이
큼지막하게 적혀 있었고, 티베트에 관련된 말은 전혀 찾아볼 수가
없었다.

계곡을 연결하는 우정교 하나 사이로 시차가 2시간 15분 차이가
났다. 얼핏 보기에는 별반 다를 게 없었지만 사람들 생김새에서 어
딘가 모르게 이질감이 느껴졌다. 같은 나라 안에서의 도시와 시골
의 차이 정도랄까? 다리를 넘나드는 많은 사람들 가운데 유독 서
로 간의 신경전이 암묵적으로 내비쳤다.

국경을 넘으면서, 감히 나는 휴전선을 넘는 기분이 어떨지 생각
해 보았다. 분명 가벼운 발걸음은 아닐 테다.

어릴 적 누누이 들었던 '너희 때는 통일이 되어 군대도 안 가게
될뿐더러 나라 경제도 부강해질' 것이라고 여기며 자라 왔었다. 하
지만 나 때도 아니었음을 부정할 수 없었고, 하늘 길마저 우회해서
들어와야 하는 한반도에서 희망의 미끼를 걸어 거대한 꿈을 낚고

· 여행이 삶을 바꿔놓진 않겠지만

싶다는 생각이 들었다.

정작, 그것을 가늠하지도 못하면서 젊은 나는 생각을 쉽게 한다. 그저 쉽게 말하는 사람들처럼 쉽게 바랄 뿐이었다. 문득 떠오른 기억은 한동안 계속됐다.

네팔 코다리 출입국 관리소에 도착하여 비자를 발급받고, 대기 중인 승용차에 탔다. 우리는 예정대로, 카트만두 가는 길에 보테코시 계곡에 있는 번지점프대로 가기로 했다.

네팔 국경도시에서 카트만두까지의 거리는 그렇게 멀지는 않지만 여러 개의 산을 넘어야 했다. 또한 무엇보다 낙후된 네팔 쪽 도로는 티베트 도로와는 상황이 달랐다. 게다가 이 지역은 또 얼마나 더운지 바나나 나무가 자랄 정도였다.

더 라스트 리조트(The last resort)에서 운영하는 보테코시 계곡 위 번지점프는 세계에서 세 번째로 높은 위치에 만들어진 것으로, 카트만두에서 투어버스로 운행될 정도로 여행자들의 명소이기도 하다.

리조트 연결다리 앞에 도착해 먼저 점프하는 사람들을 보고 나니 덜컥 겁이 났다. 다리를 건너가며 위아래를 빠르게 둘러봤지만 무서움을 숨길 수가 없었다.

번지 점프 전에 안전 동의서를 작성하는데, 생각보다 체크할 게 많았다. 긴장을 해서 그런지 글씨가 잘 써지지 않았다. 그 모습을 보고 마을 할아버지가 웃었다. 마치 모든 걸 알고 있다는 느낌으로, 그리고 걱정 안 해도 된다는 느낌이었다.

번지점프대 앞에 서자, 내 심장은 터질 것 같았고 발은 점프대 바닥에 붙어 버렸다. 몇 번을 움찔하다가 마침내 나는 그 높은 곳에서 깊은 아래로 뛰어내렸다.

뛰어내리는 순간보다는 그전의 압박감이 더 무서웠던 나는 눈을 질끈 감아 버렸다. 줄이 끌어당길 때 신발 한 짝이 물에 빠져 다리가 안전띠에서 풀린 줄로 알고 가슴이 철렁하기도 했다.

몇 초의 시간이 끝나고 거울을 보니 시뻘건 얼굴은 금세 터질 것만 같았다. 오늘 비로소 버킷리스트 하나를 지울 수 있었다.

끝내 빠뜨린 신발을 찾지는 못했지만 네팔 여행 시작 전부터 짜릿함을 맛봐 좀처럼 가라앉지 않는 흥분이 오래간 덕분에 카트만두 가는 길이 내내 즐거웠다.

· 여행이 삶을 바꿔놓진 않겠지만

숨 쉬는 유적

카트만두의 중심지인 타멜 거리는 여행자의 거리답게 게스트하우스, 여행사, 카페, 식당, 마켓, 상점 등이 밀집되어 있었다. 또한 전 세계 산악인들의 고향이자 히말라야 트레킹으로 유명한 만큼 등산제품 파는 곳이 즐비했다. 너절한 물건들부터 평소에 보기 힘든 고가의 장비까지 물품의 다양함은 트레킹의 메카다웠다.

인파 속을 헤집고 나와 보니 타멜 거리는 구시가지로 이어지고 있었다. 찬란한 문화의 꽃을 피웠던 세 개의 고대도시(카트만두, 파탄, 박타푸르)가 대체로 비슷하다는 인상을 받은 나머지, 각각의 차이보다는 동일성이 내 시각을 협소하게 만들었다.

그중 카트만두 더르바르 광장은 고대 네팔 왕국의 궁전 광장이다. 힌두교의 원숭이 수호신인 하누만이 지키고 있는 이곳 왕궁 단지는 '하누만 도카 궁전'이라고 불리기도 했다. 들어서자마자 보이는 여섯 개의 팔을 가진 칼리 바이라브 석상은 멀리서 언뜻 보기엔 넓적한 몸과 짧고 통통한 팔다리의 알록달록한 색이 우스꽝스러워 보였지만 가까이에서 보면 섬뜩했다. 한 손에는 칼을, 다른 한 손에는 사람 머리를 든 채 참배객들을 쳐다보고 있었다.

비둘기 떼로 발 디딜 곳 없는 광장 주변의 좌판에 진열된 수공예

· 여행이 삶을 바꿔놓진 않겠지만

품과 목각 조각품들의 정교함은 사원들과 한데 어우러질 정도였다. 시간이 지날수록 흐릿해지는 기억처럼 오랜 시간 속에 흐릿해진 광장의 사원들은 닳고 닳아 중세 도시의 중후한 매력을 간직한 듯했다.

무엇보다도 세계문화유산이라고 무조건 접근 금지시키는 게 아니라 사람들이 자유롭게 왕래하며 함께 숨 쉬게 하는 것이 유적지와 같은 삶의 터전으로, 관광지로서만 존재하는 박제된 공간이 아님을 알 수 있었다.

나는 광장 주변을 돌다가 시내를 바라볼 수 있는 9층 높이의 버선터푸르 위로 올라갔다. 크고 작은 골목들로 연결돼 있는 재래시장 안의 분주함을 한눈에 볼 수 있었는데, 그것은 마치 산업화 이전의 모습과 매우 닮아 있었다.

이어서 나는 광장 남쪽 끝에 위치한 쿠마리 사원으로 발걸음을 옮겼다. 많은 사람들이 살아 있는 여신 쿠마리를 보기 위해 북적이고 있었다. 무려 32가지의 엄격한 선발 과정을 통해 뽑힌 쿠마리는 모든 네팔인들의 숭배를 받고 있었고, 어린 나이에 부모와 떨어져 지내야 하는 것도 모자라 평생을 홀로 지내야 하는 여자아이의 숙명이 지역 수입에 일조하고 있었다.

나라마다 관습에 기인한 것은 상이하기에 그에 따른 문화는 다양하지만, 관습의 무게에 눌려 더 단단해지는 것 같다.

· 여행이 삶을 바꿔놓진 않겠지만

시내는 숨을 언제 들이쉬고 내쉬어야 할지 판단할 수 없을 만큼 매캐한 매연이 코를 찔렀다. 찜통더위에 창문을 열고 있자니 먼지와 매연이, 그렇다고 닫고 있기에는 뜨거운 공기가 가득한 차 안은 찜질방 수준의 열기로 후끈거렸다. 어느새 등줄기의 땀은 미끄러지듯 엉덩이 골에 고였다.

경계선도 없는 도로에서 곡예를 하듯 끊임없이 울리는 자동차 경적 소리로 신경이 극도로 예민해져 있었다. 시내의 소음과 매연은 줄곧 있는 일이었고, 이도저도 못하는 상황에 나는 지친 채로 파슈파티나즈 사원을 향해 갔다. 그곳은 카트만두 동쪽으로 5km 떨어져 있고 바그바티 강을 접하고 있었다.

유네스코 세계문화유산으로 지정된 파슈파티나즈 사원은 네팔 최대의 성지이다. 힌두교 신인 시바신에게 헌납한 사원으로, 파슈파티나트는 시바의 여러 이름 중 하나이다. 파슈는 '생명체', 파티는 '존엄한 존재'라는 뜻이라고 한다.

2층 사원은 힌두교도 외에는 입장이 금지되어 있었다. 바그바티 강둑을 따라 늘어선 화장터(가트)에서는 곳곳에서 연기가 피어오르고 있었고, 가족을 떠나보낸 사람들이 통곡하고 있었다.

대부분 힌두교를 믿는 네팔인들은 죽으면 환생한다고 믿기에 죽음을 두려워하거나 슬퍼하지 않는다고 알고 있었다. 그러나 항상 보고 만질 수 있던 감각의 이별 앞에서, 그 누구도 웃을 수는 없는

· 여행이 삶을 바꿔놓진 않겠지만

것 같다. 이러한 경우 대개는 조심스럽게 말을 꺼낸다. 그리고 시간이 지나면 금세 괜찮아질 거라며 상실을 겪은 자를 위로하고는 일상으로 돌아갈 것이다.

한쪽에서는 개의치 않고 몇몇 사람들이 빨래를 하고 있었고, 그 옆에서는 시체 일부가 떠내려 오는 걸 기다리다 노잣돈과 금붙이를 건져 올리는 아이들도 있었다. 누군가에게는 슬픔이지만 다른 누군가에게는 죽음도 현실이란 생각에 나는 씁쓸해졌다.

내가 아는 선배는 늘 입버릇처럼 내게 말했다. 소위 한참 즐길 나이에 아버지와 형제를 잃어 보니 시간을 가볍게 여길 수 없게 되었다고 말이다. 지나간 시간에 후회한들 되돌아오지 않음을 알게 된 지점은 바로 소중한 사람의 죽음을 지켜보는 슬픔이었다.

'생사사대 무상신속(生死事大 無常迅速)'이라는 말이 있다. 산다는 것과 죽는다는 것은 중대한 일이고, 덧없는 세월은 빨리 지나가 버린다는 뜻이다. 이런 상황 속에 사는 우리는 순간순간 후회 없이 살아야 한다지만 나의 현실은 그때뿐이었다. 오늘은 시간이 금이란 이 식상한 말을 유난히도 곱씹는 하루였다.

왼쪽부터 ▶
화장터1, 화장터2, 아이들

룸비니, 불교의 성지

- - - - - - - - - - - - - - -

이른 아침 카트만두의 왕국박물관 인근 도로는 여행자들을 다음 장소로 실어 나를 투어리스트 버스들로 길게 늘어서 있었다. 나는 이 버스 중 하나를 타고 출발했다.

복잡한 카트만두 시내를 벗어나니 꼬불꼬불한 산길이 계속 이어졌다. 네팔의 마을버스는 위에 짐을 한가득 실은 채, 성인 남성 한 명이 겨우 앉을 수 있는 상당히 비좁은 좌석에 앉아 위태롭게 운행하는 식이었다. 지도를 봐도 경사지고 굽은 길일 거라고 예상했는데, 막상 그런 길을 접하고 나니 진이 빠졌다.

체력 소모 탓인지 버스 안에서 졸음이 몰려왔다. 옆 좌석에서 엄마 무릎에 걸터앉은 꼬마 아이가 뚫어지게 나를 바라봤다. 그 아이의 시선은 나 같은 이방인을 처음 접한 듯한 표정이었다.

뭐가 그리 신기했던지 눈빛에 온갖 호기심이 가득했고, 그 아이는 내가 네팔을 처음 와서 바라보던 그런 눈으로 나를 바라보고 있었다. 울퉁불퉁한 길에 들어설 때마다 나는 무릎이 부딪히면서 깜빡깜빡 깨곤 했다. 그럴 때면 녹초가 된 내 모습이 룸미러로 보였다.

그리고 정류장에 정차할 때마다, 나는 폐허가 된 도시에 들어온

• 여행이 삶을 바꿔놓진 않겠지만

듯한 느낌을 받았다. 여기가 도시 지역이 맞나 싶을 정도로 주변 거리는 전쟁 후의 모습을 방불케 했다. 길에는 차선과 신호등이 아예 없었고, 어지러운 전깃줄은 수명이 다된 듯 축 늘어져 있었다. 그저 움직이는 것은 나뒹구는 먼지뿐이었다.

오전의 여유도 잠시. 소나기가 내린 후 찾아온 후끈한 열기가 서서히 몸속까지 파고들었다. 무더운 한낮은 40도에 육박했다. 버스 안에서 맞는 아침은 찜통 같았고 공기마저 끈적였다. 땀이 솟는 이 후덥지근함에 질려 나는 당장이라도 버스에서 뛰쳐나가고 싶은 마음뿐이었다.

닭장 같은 버스에선 창문으로 들어오는 바람만이 유일한 탈출구였다. 불교의 성지 룸비니로 가는 길은 네팔의 산악도로와 평탄한 길을 따라 굽이굽이 이어졌다.

얼마쯤 달렸을까? 버스가 휴게소에 잠시 들렀고 기사의 거의 다 왔다는 말 한마디가 희망처럼 들렸다.

룸비니 게이트 앞에서 내린 나는 택시를 타고 안으로 더 들어 가야 했다. 그때 나 말고도 그곳에 가려는 네팔인 두 명이 더 있어, 그들과 합석해 룸비니 마을로 이동했다.

룸비니는 불교 4대 성지 중 하나로 싯다르타, 즉 부처가 태어난 곳인 마야데비 사원이 있는 곳이다. 사원 내부 바닥에는 싯다르타의 탄생지로 추정되는 지점을 유리관으로 보존해 두었는데, 칸막

이 안에는 그의 발자국이 선명하게 표시되어 있었다. 사원 밖으로 나서면 부처의 탄생을 밝힌 유일한 단서라는 아쇼카 석주가 있었다.

거대한 보리수나무 아래에는 각국에서 찾아온 많은 스님들이 좌선 중이었다. 싯다르타와 관련된 유적지들과 각국의 불교사원이 모여 있는 지역 외에는 특별한 곳이 없지만 그 주변을 둘러싼 거룩한 땅 위 황량한 벌판과 울창한 숲은 부처의 마음처럼 포근해 보였고, 강에 비친 숲과 나무의 모습은 니르바나(열반)의 길로 접어든 것처럼 평온했다.

깨달음은 살아 있는 동안 계속된다. 우리는 가끔 절실하게 깨달았다고 말하지만, 이내 성급한 판단으로 곧잘 번복하곤 한다.

자기 자신을 성찰한다는 것 또한 살아가는 일이다. 그리고 누군가 지켜보고 있는 듯 매사에 조심스럽게 행동하는 것 역시 성찰이다. 삶은 좋은 것만을 순조롭게 내어주지 않는다. 깊은 자기성찰은 실패와 깨달음이란 반복의 연장선에서 비롯되는 것 같다.

▲ 보리수나무

▲ 마야데비 사원

평온을 품은 도시, 포카라

- - - - - - - - - - - - - - - - - - -

말이 8~9시간이지, 비포장도로에서 구불구불 험한 산길로 이어지는 구간은 간담이 서늘할 정도로 가팔랐다. 산세가 워낙에 험한 골짜기이므로 네팔에서의 이동은 인내심을 요구했다. 창가로 보이는 풍경이 아무리 아름다워도 더위만큼은 참을 수가 없어, 한시라도 빨리 휴게소에 도착하기만을 기다렸다.

대부분 네팔을 떠나 인도로 넘어갈 계획이라면 카트만두–포카라–룸비니 순으로 거쳐 가는데, 나는 반대로 일정을 잡아 왔던 길로 되돌아가야 하는 상황이었다.

포카라에 도착했을 때, 나는 배낭 들 힘조차 없었다. 우선 밥부터 먹어야겠단 생각에 나는 레이크사이드 거리에 위치한 산촌 다람쥐란 한국 식당으로 들어갔다.

그렇게 정신없이 먹고 나서야, 주변이 눈에 들어왔다. 포카라의 분위기는 휴양도시답게 호수와 설산만으로도 충분히 평온해 보였다. 애초에 히말라야 트레킹을 왔던 사람들도 그 평온함에 바로 떠나지 못한다고 할 정도다. 호수와 설산 주변에는 먹거리와 쉼터가 있어 안주하기에 더할 나위 없는 곳이었다.

나 역시 어느새 그곳에 앉아 휴양하고 있을 게 훤히 보였기에 내

⋅ 여행이 삶을 바꿔놓진 않겠지만

일 아침 바로 산행을 가기로 결심한 후, 입산허가증(팀스, 퍼밋)을 대행 발급 신청했다. 그리고서는 자전거를 빌려 레이크사이드에서 뎀사이드 지역으로 움직였다. 지도상으로는 꽤 멀어 보였지만 자전거로 충분히 갈 만한 거리였다.

우선 빠탈레 창고라는 본래 이름보다는 '데비스 폴'이라는 애칭으로 더 많이 알려진 곳에 먼저 가 봤다. 이곳이 이런 명칭을 얻게 된 이유는 이곳으로 관광을 왔던 데비스라는 사람이 폭포 아래로 떨어져 사망했기 때문이라고 한다.

상당히 시원한 폭포 줄기 덕분에 나는 더위를 조금 잊을 수 있었다. 히말라야의 본고장임을 알려 주는 설산의 축소 모형을 비롯해 작게 조성된 공원에서 나는 이들의 풋풋한 향을 맡았다.

빠탈레 창고 맞은편에는 굽데스와르 마하데브라는 동굴이 있었는데, 폭포의 물줄기가 동굴로 이어져 흐른다고 했다. 나는 길 건너 그곳에 가 보기로 했다.

어느 날 한 힌두 수행자가 이 동굴에 시바신이 모셔져 있는 꿈을 꾼 후, 실제로 동굴 내부를 조사해 보니 시바신의 링감이 발견되었다고 한다. 그 후 지하사원이 조성되었다고 하는 이곳은 포카라가 자랑하는 관광지 중 하나였다.

빙빙 돌며 내부로 내려가는 계단식 통로는 기대감을 상승시키는 묘한 매력이 있었다. 이곳은 높은 곳만 연상되는 네팔에서 어쩌면 가장 낮은 곳이 아닐까 나는 생각했다.

동굴에서 빠져나와 산티스투파(세계평화의 탑)로 갔다. 이곳은 포카라에서 가장 전망 좋은 장소로서 시내는 물론이고 히말라야 산맥을 볼 수 있는 명당 자리였는데, 이곳에 일본의 사찰이 있다는 사실이 이상했다. 그 사찰은 일본의 한 종교단체에서 원자폭탄의 피폭국으로서 세계 평화를 기원하는 취지로 세운 절이라고 했다.

탑을 그늘 삼아 탁 트인 이곳은 이름에 걸맞는 평화로운 풍경이 끝없이 펼쳐져 있었다. 호수를 가로지르며 패러글라이딩 하는 사람들의 모습도 보였는데, 사정없이 내리쬐는 태양에도 불구하고 매우 시원해 보였다.

산악국가에 왔으니 뎀사이드에서 마지막으로 국제 산악 박물관에 방문했다. 좀 전에 봤던 설산의 축소 모형보다 상당히 큰 조형물이 외부에 전시되어 있었다.

내부에서는 히말라야 등반의 역사를 한눈에 볼 수 있었는데, 등반 관련 전시뿐만 아니라 산의 지형과 동식물의 생태, 민속에 관한 자료들도 전시되어 있었다.

특히 인상 깊었던 것은 한국 산악인을 소개하는 코너가 있었다는 점이었다. 한국 산악인들은 그 명성에 걸맞게 업적이 대단했고, 그들에 관한 이야기들은 트레킹에 오르기 전 내게 자국의 자부심을 심어 줘 심적인 도움을 줬다.

• 여행이 삶을 바꿔놓진 않겠지만

반나절 동안 나는 뎀사이드 지역을 돌아다니고 레이크사이드 지역으로 돌아와 다음 날 트레킹에 필요한 장비를 대여하기 위해 준비했다.

　매번 짐을 꾸릴 때마다 배낭의 빈 공간은 마치 빠뜨린 무언가가 있는 것 같은 느낌에 무조건 꽉꽉 채워 넣기 바빴다. 설사 필요하지 않더라도, 빈 공간을 가만둘 수 없는 것은 가벼움에서 오는 걱정 때문이 아닐까.

　여름 시즌에도 베이스캠프 위는 춥기 때문에 침낭도 필수였고 대여품은 60L 배낭, 스틱침낭, 바람막이 재킷 정도였다. 일사천리로 준비를 끝내고 해가 지기 전에 가려 했던 폐와 호수는 이미 석양으로 불그스름했다.

　포카라의 밤은 낮과는 달리 라이브 카페에서 흥겨운 음악 소리가 들려오는 등 활기 넘치고 자유분방한 분위기였다.

평소 등산에 흥미가 없더라도 누구나 한 번쯤 가 봐야겠다고 생각
하게 되는 만큼, 네팔은 대부분의 여행객이 본격적인 트레킹을 위
해 왔다고 이구동성으로 말할 정도인 곳이다. 나 또한 네팔에 오면
가장 하고 싶었던 것이 트레킹이었다.

　우리나라 지리산 종주코스에 해당되는 안나푸르나의 다양한 코
스들은 짧게는 일주일 내외, 길게는 2주 이상 잡아야 하는 라운딩
코스로 구분되어 있기 때문에 체력 안배를 고려하여 준비하면
된다.

　첫날 나는 여행배낭을 산촌다람쥐 한식당에 맡겨 두고 8일간 함
께 산행할 포터 아저씨와 인사를 나눈 후, 한국인 일행 2명과 출발
지점인 나야폴까지 택시로 동행했다. 나야폴 마을에서 비레탄티
체크포스트까지 이어지는 산 초입 길은 경사가 완만하고 수월
했다.

　비레탄티에 도착해 다리를 건너면 두 갈래의 길로 나뉘는데, 안
내사무소 중심으로 왼쪽 길은 푼힐 전망대, 오른쪽 길은 안나푸르
나 베이스캠프(ABC)로 올라가는 길이다.

　동행했던 사람들은 이 지점에서 푼힐 전망대로, 나와 포터 아저

　　　　　　　　　　　· 여행이 삶을 바꿔놓진 않겠지만

씨는 ABC방향으로 갈라졌다. 사울리바자르까지는 차량 접근이 가능하지만 시간적 여유가 있기에 나는 시골 마을의 전경을 엿보며 천천히 통과했다.

산행 중 마주침은 자동적으로 '나마스떼'[4]라는 인사로 이어졌고, 트레킹을 시작한 지 몇 시간이 흘렀을 때 나는 쉬고 있는 또 다른 한국인 일행을 만났다. 나는 그들과 사울리바자르에서 함께 점심을 먹었다. 이곳을 다녀간 한국인들 제법 많은 듯, 곳곳에는 한국어로 쓰인 푯말들이 있었다.

이곳 산장(롯지)에서 한국 라면을 팔기에 나도 먹어 보았는데 원산지도 다르고 현지인 입맛에 맞게 나온 거라 그런지 겉포장은 똑같았지만 맛은 그리 맵지 않고 밋밋했다.

안개는 자욱했고 곧 비가 쏟아질 것 같은 날씨였다. 오늘의 일정은 지누단다까지 가는 것인데, 줄지어 가는 당나귀 무리가 비켜 줄 생각을 하지 않았다. 어쩔 수 없이 그 뒤를 따라갈 수밖에 없었는데, 결국 정말 소나기가 쏟아지는 바람에 롯지에서 잠시 쉬며 우비를 입고 재정비해야 했다.

비가 오니, 말로만 듣던 거머리가 내 양말 속까지 기어들어와 피를 빨아먹고 있었다. 어찌 됐든 쉬어 가길 잘했고 재정비하길 잘했

---

4 '내 안의 신이 그대 안의 신에게 인사한다'는 뜻의 네팔 인사

단 생각이 들었다.

오르고 올라도 산자락이 끝날 기미는 보이지 않아, 한 번씩 뒤돌아보며 걷다 서기를 반복했다. 가까워 보이는 산중턱엔 또 무엇이 기다리고 있을지 생각하며 멀고도 먼 길을 이끄는 그 무언가에 끌려가듯 그렇게 나는 롯지에 도착했다.

이곳에도 구멍가게처럼 작은 상점이 있었고, 나는 콜라에 정신이 팔렸었다. 그때 마신 콜라 한 모금은 올라오는 동안 쌓였던 갈증을 단숨에 피로와 함께 해소시키는, 정말 미칠 듯한 맛이었다.

기다리던 밥때가 되어서, 나는 나름 맛있어 보이는 치킨라이스를 저녁으로 주문했다. 그런데 음식에 소금을 얼마나 많이 쳤는지 맛이라곤 짠맛이 전부였다. 내 옆에 앉은 현지인도 동일한 메뉴를 주문했는데 나와는 달리 너무 맛있게 먹고 있었다. 주문 전, "No salt"를 말해야 한다는 것을 나는 꾸역꾸역 다 먹은 후에야 알게 되었다.

첫날부터 몬순이 심술을 부리는 듯했지만 나는 인내심을 가지고 킴체마을을 거쳐 간드룩–뉴브릿지–지누단다까지 보통의 산처럼 순탄하게 오르며 일정을 마무리 지었다.

▲ 나야풀마을

▲ 시선

천천히, 천천히

- - - - - - - - - - - -

간만의 산행으로 파김치가 됐는데도 불구하고 알람 없이도 눈이 쉽게 떠졌다. 도심 속에서 느끼지 못했던 아침 공기의 상쾌함에 몸도 가볍고 아침밥도 기분 좋게 먹었다.

새벽까지만 해도 세찬 비가 쏟아졌는데 언제 그랬냐는 듯이 아침은 화창했다. 오후에 비가 또 내릴 거라고 해서 나는 덜 마른 옷을 다시 입고 일찍 출발길에 올랐다. 고산지대 특성상 오전의 날씨가 오후보다 맑은 탓에 새벽부터 롯지는 분주했다.

촘롱 마을까지는 꽤 오랫동안 오르막으로 이어졌다. 오르막에 올랐더니 옆 마을이 한눈에 들어와서 가깝게 느껴졌지만, 거기서부터는 또 왔던 만큼 내려가야 했다.

능선과 능선을 잇는 철다리가 있었는데 그 길을 건너기 위해서는 V자 형태의 촘롱과 시누와의 계곡을 사이에 두고 연속되는 돌계단을 지나야 했다. 끝없이 추락하듯 계곡은 급경사를 이루고 있었다. 철다리를 건너자마자 다시 가파른 비탈길을 올라가야 했는데, 그 길은 롤러코스터 구간처럼 아찔해보였다.

일정 속도로 걷기를 반복하면서 산 중턱에 올랐다. 탁 트인 풍경에 내 가슴도 뻥 뚫리는 듯했다. 그곳에서 잠시 나는 숨 고르기를

• 여행이 삶을 바꿔놓진 않겠지만

했다. 먼 산 너머에 있는 마차푸차레봉의 아름다운 경관은 오르는 내내 힘든 것조차 잊게 만들 정도였다.

시누와 마을에 도착해서 밥 짓는 연기가 피어오르는 걸 보고서야 허기가 밀려왔다. 간단히 허기를 채우자 긴장이 풀렸는지 금세 잠이 들었다.

10분 정도 잤을까, 잠이 덜 깬 상태로 밖을 나갔는데 안개로 가득했다. 한 치 앞을 내다볼 수 없을 정도로, 안개는 거대한 공간에 갇힌 느낌을 들게 할 정도였다. 나는 출구를 찾아야 했다.

능선을 따라 이어지는 길은 산의 혈관과도 같다. 그래서 그곳으로 가는 길은 섣불리 내딛을 수 없다. 그럼에도 나는 발로 맥을 짚어 가듯 조심스럽게 내딛어 본다.

시야가 매우 흐릿했지만 뱀부로 이어지는 다음 길목은 다행히 편안한 구간인 듯했다. 대나무가 우거진 숲길은 짙은 안개 때문에 유령이라도 나올 것만 같았다. 안개가 자욱한 날씨는 곧 소나기가 쏟아질 듯 보였는데, 다행히도 그날은 비를 맞지 않은 채 마지막 일정까지 다다를 수 있었다.

제법 등산에 익숙해졌는지 초반에 힘들었던 몸은 꽤 풀려 있는 듯했다. 그래서 나는 포터 아저씨에게 좀 더 올라가자고 재촉했다. 그는 그런 나에게 "비스타리 비스타리(천천히 천천히)"를 반복해 말했다.

그는 '사흘 길에 하루 가서 열흘씩 눕는다.'는 말을 잘 알고 있는 듯했다. 이는 남은 산행 중 내게 큰 도움이 되었고, 나는 그때까지 그걸 알지 못했다. 나는 좋은 컨디션을 최대한 많이 쓰고 싶단 생각에 서두름을 재촉했으나 포터는 전혀 서두르지 않았다.

롯지 식당에서는 하루가 저물 때까지 사람들의 카드놀이가 한창이었다. 그곳에서의 카드놀이는 현지인에게 유일한 낙이며, 매일 반복되는 일상을 견디게 해 주는 일 같단 생각이 들었다.

하루가 편안히 저무는가 싶더니 어느새 매서운 추위가 찾아왔다. 밤이 깃든 산은 어디든 추운 것 같다. 그럼에도 나는 이 차가운 공기가 싫지 않았다.

• 여행이 삶을 바꿔놓진 않겠지만

마차푸차레 베이스캠프(MBC), 그 숭고함

산에서 머무는 시간은 고요하고 평화로웠다. 나는 누가 업어 가도 모를 정도로 깊은 잠을 자고 일어났다. 처음 들렸던 소리가 아침을 깨우는 새 지저귐이었는지 배고파서 꼬르륵거리는 소리였는지 분간이 안 될 정도로 나는 깊게 잤고, 이미 날은 밝아 있었다.

거리에 24시간 켜져 있는 전광판, 붐비는 대중교통, 하루가 다르게 하늘로 치솟는 건물, 그 속에서 나는 익숙한 일상을 살다가 떨어져 나온 것 같았다. 그러나 낯선 이 산에서 익숙한 일상보다 더욱 편안한 안정을 취했고, 트이는 마음을 느낄 수 있었다.

뱀부 이후부터의 마을에서는 인기척을 느낄 수 없었다. 산속으로 더 들어갈수록 트레킹 구간은 울창한 원시림에 가까워졌고, 진한 풀냄새와 시원한 공기로 코가 뻥 뚫리는 듯했다.

지난밤엔 날씨가 흐려 한차례 가랑비가 왔었다. 안개 낀 습지는 이끼와 이름 모를 기생식물들이 나무와 함께 우거져 숲은 신비로움 그 자체였다. 오로지 자연의 소리를 듣고 발길 닿는 대로 고즈넉하게 오솔길을 걸으며 있는 그대로를 바라보며 조용히 걸었다. '저절로'라는 말은 자율적이며 해마다 힘을 기르고 계절로 그 몸을 드러냈다. 이러한 자연을 마주할 때마다 나 자신의 겉치레가 보였다.

· 여행이 삶을 바꿔놓진 않겠지만

히말라야 호텔 구간을 지나면서 정글처럼 무성한 숲길도 서서히 사라졌다. 깎은 듯한 비탈면 모퉁이 한쪽에 거대한 절벽들 사이로 큰 바위가 튀어나온 곳(힌코케이브)도 있었다. 나는 바위그늘 아래에서 쉬어 가고 싶었지만 박쥐 배설물로 인한 악취가 고약해 앉을 수가 없었다.

계속해서 이어지는 외길 따라 나는 데우랄리로 향했다. 사실상 베이스캠프에 도착하기 전 마지막 구간부터는 음식 가격 또한 상당히 비쌌지만, 현지인들이 며칠 동안 산 위까지 고생하며 운반하는 걸 목격하니 얼마를 받든 딱히 부당하지는 않단 생각이 들었다.

고산 트레킹 구간에 접어들면서 마을의 모습은 사라져 갔고, 모디 계곡 사이로 불어오는 신선한 바람과 계곡의 물소리가 간간히 느껴졌다. 다만 짙은 운무로 인해 그것들이 잘 보이지는 않았다.

우여곡절 끝에 나는 오늘의 도착 지점인 마차푸차레 베이스캠프(MBC)에 도착했다. 역시나 안개 때문에 롯지 주변은 아무것도 보이지 않았고 고산 증세까지 다시 오고 있었다. 나는 날씨가 변덕스러운 걸까, 아니면 사람의 몸이 연약한 것일까 의문이 들기도 했다.

날씨에 따라 달라지는 감정의 온도, 오늘은 더 크게 와 닿는다. 올라오는 며칠 동안 나는 햇빛이 너무 뜨겁다고 땀을 흘리며 투덜댔고, 하루는 소나기가 내린다며 날뛰었다. 이곳에 와서는 갑자기 낮아진 기온에 춥다고 침낭 속에서 호들갑을 떨었다.

하지만 나를 더 위축되게 하는 건 고산 증세가 언제 찾아올지 모른다는 사실이었다. 나는 고산병 때문에 이곳에서 늘 초조했다.

나는 몸 컨디션과 날씨 기후 등을 고려해서 새벽에 짐을 MBC에 두고 ABC까지 2시간 정도 걸어가서 일출을 보는 방법과 ABC에서 하룻밤을 더 묵고 느슨하게 지내는 방법 두 가지를 생각했다.

그런데 날씨가 상당히 좋지 않아 나는 후자를 택했다. 여기까지 와서 설산을 제대로 보지도 못하고 내려가면 어쩌나 노심초사하던 나는 바람을 쐬러 수시로 문 밖을 나와 보았다. 때마침 산봉우리에 걸려 미동도 없던 묵직한 운무가 걷히면서 눈앞에 산의 거대한 모습이 드러났다.

어린 시절 사진으로만 봤던 광경, 나는 그 공간에서 산을 마주하고 있음이 벅찼다. 그저, 우두커니 서서 바라볼 뿐이다. 엄청난 크기와 마주할 때 솟구치는 힘, 그 힘은 나의 가장 깊은 곳을 파고들어 내 안에 내재된 숭고함을 건든다. 어쩌면 그것은 경이로운 대자연을 마주할 때 인간이 느끼는 고귀한 것이라 본다.

세계 3대 미봉 마차푸차레가 보였고, 뒤쪽으로는 우뚝 솟아오른 안나푸르나 사우스가 있었다. 두 갈래로 갈라진 봉우리가 물고기 꼬리를 닮았다고 해서 네팔어로 '마차푸차레'라 불리는 이곳. 아직 인간의 등정을 허락하지 않아 이곳 사람들이 신성시하는 봉우리라 한다. 또한 안나푸르나는 '풍요의 여신'이라는 의미라고 한다.

▶ 안개 전 후(1)

▶ 안개 전 후(2)

안나푸르나 베이스캠프(ABC) 그리고 선물

침낭을 가져온 게 얼마나 다행인지 몰랐다. 나는 초저녁에 일찍 잠들었다. 아침인 줄 알고 깨었는데 한밤중이었다. 문을 두드리는 듯 바람만 세차게 불고 있었다.

새벽은 꽤 쌀쌀했고 거칠게 몸을 휘감는 바람이 뇌까지 파고드는 듯했다. 아무 생각 없이 가만히 있고 싶어도 생각은 잠들지 않고 계속 움직이나 보다. 불현듯이 나타나는 기억들로 생각에 잠기니, 기억 아래 놓인 것들까지 떠오른다.

그리고 찾아온 옛 기억은 녹슬지 않고 선명했다. 싸늘한 새벽 4시 초소 안, 수통 물은 5분이면 얼음이 뭉칠 정도였다. 살에 박힐 듯한 겨울바람은 총구에 서리가 내려앉을 정도였고 얼어붙은 총구 표면은 맨손으로 갖다 대기 힘들 만큼 차가웠다. 짙은 어둠의 고요함을 오로지 밝은 별들만이 비출 뿐임에도 아름다웠던 기억.

어둠 속, 그 사이를 비집고 나온 산등성은 새까맣게 솟아 있었고 이곳에 잠들어 있는 거대한 만년설의 실루엣은 서로 어깨동무하듯했다. 오로지 피부에 꽂힐 듯한 세찬 바람과 어둠뿐인 고요함은 여전히 아름다웠다.

선잠을 뒤로하고 무거운 눈꺼풀이 떠졌다. 내 주위의 모든 것은 가라앉아 있었다. 쉼 없는 생각을 잠재우던 밤의 시간은 단조롭고 어둠으로 가득 찬 새벽은 꽤나 깊어 보였다.

마차푸차레 베이스캠프(MBC)에서 목적지인 안나푸르나 베이스캠프(ABC)로 향하는 길은 이전까지 오르던 것과는 전혀 달랐다. 더군다나 숨을 쉴 때마다 골이 깨질 것 같은 고산증세가 다시 몰려와서 굴절 없는 비교적 평탄한 길임에도 불구하고 속도를 내지 못한 탓도 있었다.

계속 힘겹게 다가서야 했다. 기척 없는 걸음걸이로 걷는 내내 오랫동안 침묵이 흘렀고, 나는 멀리 바라보고 또 바라보았다. 산의 정적은 늘 평화로울 것 같았고 그런 자연의 광경은 꾸밈없었다. 때때로 인간의 형상은 자연의 요소를 닮아 보였다.

내면 깊숙이 들어가면 갈수록 속내를 알 수 없는 것이 나의 마음 한편에 성역의 공간이 존재하는 것 같았다. 차가운 바람만이 고산지대를 유유히 흘렀다.

거대한 산중에 푯말 하나가 보였다. 나는 느린 걸음으로 그 표지판까지 걸어갔다. 롯지 벽면에는 '오시느라 고생하셨죠.'라고 작게 씌어 있었다. 그 글귀를 보면서 나는 밀려오는 성취감 속에서 여장을 풀었다. 성수기 때는 방이 꽉 차 잠자리 구하기가 쉽지 않다는데, 내가 간 때는 비수기여서 너른 방 하나를 편하게 사용할 수 있었다.

· 여행이 삶을 바꿔놓진 않겠지만

짙은 안개 사이 너머로 태극기가 펄럭였다. 롯지 가까이에 등반 중 불의의 사고로 목숨을 잃은 산악인들을 위한 추모비가 세워져 있었다. 그곳에는 '천상에서도 더 높은 곳을 향하고 있을 그대들이여'라는 문구가 쓰여 있었다.

신의 영역이라 불리는 저곳에서 나는 인간의 생명이 한낱 미물에 불과하다는 사실을 느꼈다. 그 비문은 인간이 대자연 앞에 무력함에도 불구하고 끝없이 도전하는 산악인들의 숭고한 정신과 의지는 죽음마저 꺾지 못한다는 의미로 보였다. 나는 이분들이 이곳을 찾아오는 한국인 등산객들을 지켜 주고 있지 않을까 생각하며 잠시 묵념하고 그곳에서 내려왔다.

집을 떠난 뒤로부터 가족과 떨어져 지내다보니 누누이 꼭 한번가 보고 싶다던 엄마의 말이 느닷없이 생각났다. 결국 나는 식당 안에 마련된 전화기를 사용했다. 코드 +82 10 0000-0000 전화번호를 누르자 신호음이 울렸고, 덩달아 심장박동이 빨라졌다.

통화 연결된 지 1분도 채 안 돼 연습했던 표현을 더듬는 내 행동은 평소 살갑지 못했던 결과이기도 했다. 말이 목구멍까지 올라오지만 결국엔 머뭇거리다가 딴소리만 늘어뜨렸다. 늘 말하지 않아도 알 것이라고 넘겨 버리기 일쑤였는데, 막상 이렇게 떨어져 지내보니 그런 말 한마디 상기시키는 일조차 내게 눈물을 차오르게 했다.

'살아 계실 때 효도하라'는 말은 부모 자식 간의 조건 없는 사랑의 크기를 떠나, 받은 사랑만큼 행해야 하는 자식의 도리를 의미하는 게 아닐까 싶으면서도 그간 당연시 여겼던 모든 것을 돌이켜보면 소홀해지기 일쑤였다.

나는 골방에서 오후 내내, 민낯을 드러낸 채로 호젓이 혼자만의 정리하는 시간을 가졌다. 사람은 저마다 다른 생각을 가지고 있으며, 상황에 따라 생각하는 방법도 다르다. 아무리 가벼운 생각이라도 언어만큼이나 강력할 수 있다.

생각이 이끄는 대로 마음은 항상 자유를 갈망하면서도 혼자란 건 언제나 고독을 마주했고, 그 고독은 나를 나르시시즘에 빠지게 했다. 그러나 그 깊이는 매번 달라서 격정에 차오르다 이내, 나는 언제 그랬냐는 듯 평소로 돌아갔다.

안나푸르나가 토해 낸 숨은 산의 모든 절경을 만들어 낸 듯 아름다웠다. 안나푸르나가 내게 준 진짜 선물, 나는 이곳에서 많은 생각을 했고 기대했던 일은 현실이 되기도 했다.

· 여행이 삶을 바꿔놓진 않겠지만

눈부신 햇살에 깨어난 나는 베이스캠프 절벽 중턱으로 나가 보았다. 하루를 꼬박 기다렸는데도 날씨는 좀처럼 나아질 기미가 보이지 않았다. 바람이 불면 안개가 걷히지 않을까 하는 기대감을 안고 기다리면서 나는 퍼즐을 맞추듯 설산의 윤곽을 억지로 끼워 맞춰 보기도 했다.

그러나 기다림 끝에 지친 나는 아침을 먹으러 들어갔다. 10분 정도 흘렀을까, 밖에서 웅성거리는 소리가 들렸다. 조용하기만 했던 이곳에서 하나둘 밖으로 나가더니 환호성을 질렀다.

나는 사람들 소리에 창문을 열었다. 그곳에는 한 폭의 그림처럼 감춰져 있던 설산이 펼쳐져 있었다. 자연에 압도 당하는 느낌으로 그것을 바라보는 내 눈은 울타리였다.

내려가는 길은 올라갈 때에 비해 비교적 수월했지만, 산에서 일어나는 사고는 상당 부분 하산 길에서 발생하기에 두 다리의 힘이 풀리지 않게 조심해야 했다. 아래로 내려갈수록 언제 그랬냐는 듯 고산증세도 말끔히 사라져 갔다. 나는 시누와에서 하룻밤 묵기로 했다.

이성의 크기가 형성된 후로 모든 것은 스스로가 다시 만들어야 했다. 어떤 일을 시작하기에 앞서 드는 생각 또한 그랬었다. 그리고 실천을 하기까지, 하루에도 수천 번은 다양한 생각들로 이어지다가도 흐지부지하게 끝났다. 아무 일도 없었던 것처럼 말이다. 현현하며 사라지는 것, 한없이 나약해지는 나의 마음을 무겁게 짓눌렀다. 하지만 책 페이지 밖을 나와야 했고 사진 테두리 밖을 나와야 했다. 그리고 집밖을 나서야 했다.

견문을 넓히기 위해 끊임없이 떠나는 사고의 전환은 중요했다. 나도 모르는 사이에 생각을 싸고 있던 무언가에 다른 생각이 스며들었다.

밤이 밀고 간 자리, 별의 눈물처럼 이슬은 풀잎마다 맺혀 있었다. 나는 안나푸르나 베이스캠프에서 푼힐 전망대까지 가기 위해 일찍 나섰다. 산 중턱에서 새벽을 알리는 장닭 울음소리가 쩌렁쩌렁 들려왔다.

자욱하게 내려앉은 안개 사이로 날씨가 흐렸다 맑아지기를 반복했다. 나는 몬순 기간 동안 이곳에서 여러 느낌의 비를 맞았다. 이날은 유독 빗방울이 굵어져 우기에 접어들었음을 알 수 있었다. 우비를 입어도 소용이 없었고, 심지어 고어텍스 등산화마저 무용지물이었다.

신발이 젖는 건 둘째 치고 몸까지 젖어서 체력 소모는 상당히 심했다. 엎친 데 덮친 격으로 거머리의 공격까지 가세되었고 몸 곳곳

에서 피비린내가 진동하기 시작했다. 골치 아픈 일이었다.

유경험자들의 조언을 들었을 때는 대수롭지 않게 여겼는데, 막상 겪어 보고 나서야 거머리 떼의 심각성을 알게 됐다. 워낙 작아 눈에 안 띄다 보니 거머리 떼가 신발 안까지 들어와 피를 빨아먹고 있었다.

나는 임시방편으로 등산화에 소금을 뿌렸다. 무거운 발걸음을 옮기며 서둘러 수풀이 우거진 곳을 빠져나왔다. 땅만 조심하면 되는 줄 알았는데, 거머리가 나무 위에서 머리 위로 떨어져 내리거나 심지어 입속과 눈 속에도 눈치 못 챌 정도로 다가와 아무런 느낌 없이 달라붙었다.

눈동자에 검은 뭔가가 붙어 있어 간신히 떼어 내기도 했다. 녀석의 빨판이 어찌나 강한지 떨어지지 않아, 포터의 응급처치로 간신히 위기 상황을 모면할 수 있었다.

산속에서 예기치 못한 온갖 일은 내겐 공포, 그 자체였다. 몸집이 거대한 물소도 거머리의 습격으로 온 몸뚱이가 피범벅이 될 정도였다. 특히나 우기 때는 인적도 드물어 도움을 요청하는 것이 쉽지 않다고 했다.

장시간 비를 맞았더니 급격히 추워져 나는 체온을 유지하기 위해 타다파니 롯지라는 곳에 머물기로 했다. 신발 안과 옷 사이사이 거머리의 흔적이 고스란히 남아 있었고, 젖은 양말로 계속 걸었더니 발바닥 살가죽이 눌어붙어 난로에서 몸을 녹이는 것 외에는 다른 생각이 들지 않았다. 물론 비를 맞은 몸은 기분 탓인지 씻고 난 후에도 그 찝찝함과 눅눅함은 사라지지 않았다.

다음 날 아침이 밝아 왔다. 눈을 뜨는 동시에 쉴 새 없는 생각으로 하루를 시작하면서도 한 가지 생각에 몰두하면 그 생각에서 벗어날 수 없게 됐다. 몸에 밴 습관만큼이나 생각은 굳어져 있었다. 아침까지만 해도 푼힐 전망대로 가겠단 생각은 확고했지만 나는 젖은 등산화를 신자마자, 온 감각이 발밑으로 쏠려 이만저만 거슬리는 게 아니었다. 축축한 양말과 등산화를 신는다는 건 너무도 찝찝했다.

난로 앞에 밤새 말려 봤지만 소용없었고, 차라리 맨발로 걷고 싶었다. 비가 다시 내려서 처음 신발을 신었을 때의 찝찝함이 줄어드는 것 같았지만 그것도 잠시, 금세 거머리가 밀려들어 왔다. 그럼에도 보이는 족족, 피부에 느껴지는 족족 떼어 내는 일 말고는 달리 방도가 없었다.

나는 포터들과 마주치면 머물렀던 곳의 날씨는 어땠는지, 일출은 봤는지, 춥지는 않았는지 등을 어김없이 물어보았다. 짧은 시간 동안 정보를 교환을 했는데 나는 가끔 그들의 표정을 보고 그들이 겪은 상황들에 대해 대충 짐작할 수 있었다.

그러던 중 포터가 하산을 제안했다. 당일 날씨를 봐서도 그렇고,

· 여행이 삶을 바꿔놓진 않겠지만

다음 날도 장담할 수 없는 상황 때문이었다. 나는 고라파니까지 가는 동안 결정해야 했다. 그리고 나는 이런 안 좋은 날씨에 젖은 등산화를 신고 올라가는 건 무리인 듯싶어서 포터의 조언을 따르기로 했다.

등산의 정의는 산이 지닌 다양한 난관을 극복하는 과정에서 얻는 즐거움이라고 배웠는데, 단지 산에 오르는 목적이 정상에 가기 위한 것밖에 없다는 식의 미명은 그저 겉멋일 뿐이라는 생각이 들었고 나는 결국 하산을 선택했다.

때론 무작정 올라가는 것보다 내려갈 줄 아는 절제가 더 좋은 결정일 수 있다는 생각도 들었다. 아무리 지식이 있다 하여도 지혜롭지 못하면 위태로움에 처할 것이다. 고라파니에서 저 멀리 안개에 가린 푼힐 전망대쪽을 바라보고는 나는 혼자 작별인사를 하며 돌아서야 했고, 저 반대의 것들은 내게 '무제'로 다가왔다.

내려가는 길목엔 푼힐 코스 중 눈에 띄는 구간인 삼천 개의 가파른 돌계단이 펼쳐져 있었다. 내겐 내려가는 것 자체가 버거운 상황이었는데, 머리에 짐을 이고 올라오는 마을 주민들을 보았다. 그 억척스런 생활력을 보고 있자니 내심 내가 누리는 산행이 호사처럼 느껴졌지만 더불어 건강하게 걸을 수 있음이 얼마나 행복한 것인지 새삼 깨닫기도 했다.

처음 출발했던 장소인 안내사무소에서 하산 도장 스탬프를 찍고

서야 산행 일정이 끝났다는 게 실감이 났다.

청소년 때, 가파른 산을 힘겹게 올라간 적이 있었다. 그리고 산 중턱에 서서 갑작스레 들었던 생각은 왜 사람들이 오르락내리락을 반복하는 이 힘든 산행을 하는지 궁금했었다.

그리고 이곳에서 나는 깨달았다. 산행이 주는 많은 생각을 통해 복잡한 생각들이 정리되고 있다는 것을 말이다. 나는 걷는 동안 많은 것을 비워 냈고 산행은 흥분이 아니라 차분해지는 걸음과 같다는 것을 마음속으로 확신했다. 그 후, 포카라에 머물면서 묵은 피로를 날려 버리니 몸과 정신이 무한정 늘어지는 것 같았다. 아무것도 하지 않아도 될 것 같은 그 시간이 너무도 평화로웠다.

포카라(레이크사이드) 지역은 코리아타운이라고 해도 무방할 정도로 한국식당이 많았다. 산에 다녀온 후, 나는 그곳에서 끊임없이 군것질을 했다. 산행 중엔 불편하게 계속 비가 왔는데, 내려온 이후로는 신기하게도 햇빛만 쨍쨍했다. 저 멀리 보이는 설산은 아직도 내 가슴을 흔들었다.

· 여행이 삶을 바꿔놓진 않겠지만

7

인
도

- - - - - - - - - - - - - - - - - - -

나는 산 고개를 다시 넘어가야 할 생각에 진이 빠지는 듯했다. 소
나울리에서 3km 떨어진 바이하라 버스 스탠드에 도착해 먼지를
뒤집어쓰고서야 상황 파악을 했다.

　바이하라는 룸비니, 소나울리 사이에 자리 잡고 있어 네팔의 룸
비니로 가고자 할 경우 다시 버스나 택시를 타고 이동하면 되었다.
인도로 넘어갈 경우라면 마찬가지로 버스나 택시를 타고 소나울리
마을로 이동하면 되는데, 호객행위를 하는 택시들이 많기 때문에
애초에 여러 명이서 합승하면 되었다.

　바로 코앞이 국경인데 삼엄한 분위기보다는 오히려 활기 때문에
복잡한 분위기였다. 양국 국민들 간에는 여권 없이 왕래가 가능해
서일까? 다른 나라라는 느낌이 들지 않았고 내가 생각했던 국경과
는 사뭇 다른 모습이었다.

　네팔 출입국 사무소와 국경을 넘어 인도 출입국 사무소에서 스
탬프를 찍은 후 200m 앞으로 걸어가면 버스정류소가 있었는데,
나는 이곳에서 수시로 출발하는 고락푸르행 로컬 버스를 타고 고
락푸르 기차역으로 향했다.

　출발 전, 네팔 화폐를 인도 화폐로 환전하면서 알게 된 사실은

▲ 국경

▲ 가는 길

▲ 버스 안

▲ 기차역

중간중간에 불량화폐를 끼워 넣는 경우가 있기 때문에 화폐가 깨끗한지, 손상은 없는지를 확인한 후 거래해야 한다는 것이었다.

카트만두나 포카라에서 오전에 버스를 타면 오후에는 소나울리에 도착한다고 알고 있었기에 나는 서둘러 인도 버스를 탔고, 세 시간 정도 더 달린 끝에 밤이 돼서야 오랜 버스지옥으로부터 탈출할 수 있었다.

인도에서 빠질 수 없는 악명 높은 교통수단으로 기차를 들 수 있다. 기차역은 인도 사람들의 삶을 보여 주는 곳이라는데, 실제로 처음 본 나로서는 다소 충격적이었다.

대합실 안이든 밖이든 기차역에서 보여 주는 그들의 모습은 혼돈 그 자체였고, 마치 자기 집 안방인 듯 누워서 기다리는 모습이 너무 거리낌 없었기에 주뼛주뼛하던 나는 결국 전체 속으로 흡수되고 말았다.

아침을 먹은 이후로 물 말고 먹은 것이 없어 배가 매우 고팠지만 겉보기에도 위생상태가 심각해 보이는 길거리음식은 도저히 먹을 엄두가 나지 않았다. 결국 기차역 앞 레스토랑에 가서야 끼니를 해결했고, 나는 인도에 왔음을 다시 한 번 실감케 했다.

인도 열차는 객차와 객차 사이가 차단되어 있어서 올라탄 뒤에는 다른 객차로 이동할 수 없었다. 그래서 나는 내가 탈 객차 앞에서 기다려야 했는데, 열차 길이가 상당히 길어 그것도 말처럼 쉬운 일만은 아니었다.

또한 인도 열차는 제시간에 맞춰서 오는 법이 없어 애간장을 태우게 하기도 했는데, 현지인들의 당연하다는 듯 태평하게 기다리는 모습은 그런 것 따위는 전혀 지루해 보이지 않았다.

열차에 무사히 타자, 미칠 듯한 피로가 몰려왔다. 찢어질 듯한 기차 경적 소리도 스무 시간의 대이동 피로를 방해하지 못했고 듣던 음악 소리마저 사라지는 듯했다. 덜컹거리는 객차에 몸을 얹은 나는 나도 모르는 사이에 잠이 들었다.

• 여행이 삶을 바꿔놓진 않겠지만

바라나시에서 찾은 존재의 의미
- -

동이 트자, 나는 장기가 뒤틀리는 듯한 뻐근함에 깨어났다. 열차의 속력이 줄어듦에 따라 바라나시 정션역에 가까워짐을 알 수 있었다.

이른 아침, 사정없이 내리 쬐는 태양을 피하기 위해 그늘에 널브러져 있는 사람들의 낯선 시선을 이겨 내는 일. 그것이 나의 첫 번째 관문이었다. 전부 하나같이 호기심 어린 눈초리로 나를 쳐다보는 것 같았다. 눈을 마주치는 순간, 그들은 내게 말을 걸거나 끈질기게 따라와 난처하게 만들기도 했다.

그럼에도 여행하는 동안 다양한 눈빛을 봤다. 구걸하는 자의 서글픈 눈, 삶에 지친 눈, 똥 누는 자의 당당한 눈, 뻔뻔한 자의 눈, 운명한 자의 눈, 부처의 눈, 나와 같은 여행자의 눈, 그리고 거울 속 비친 나의 눈…. 그 안에는 갈망이 움푹 파여 있다. 심지어 동물의 눈까지.

이 모든 것을 사랑의 눈초리로 바라볼 수 있다면 침묵은 참으로 쉬웠을 것이다. 하지만 낯선 여행길에서 침묵하기란 쉽지 않았다.

나는 여행자 숙소와 카페가 밀집해 있는 메인가트 주변을 피해 오토릭샤 기사가 추천해 준 게스트하우스로 이동했다. 내가 블로

그를 통해, 책을 통해, 하다못해 주변에서 바라나시를 다녀온 사람들의 이야기를 통해 간접적으로 접한 바라나시의 모습은 그저 일부분에 불과했다.

거리에 넘치는 동물의 배설물들, 쓰레기더미 등 비위생적인 것들의 혼란은 한참동안 나를 큰 충격에 빠뜨렸다. 인도에 가기 전, 예방접종할 게 왜 이리 많은가 궁금했었는데 와 보니 그 이유를 알 것 같았다.

나는 골목에 어슬렁거리는 더러운 개들과 소들을 피해 다녔고, 시각적으로나 후각적으로 매우 예민해진 상태에서 아무렇게나 방치된 동물들한테 짜증이 솟구쳤다.

내가 인도를 왜 왔는지조차 잊은 채 거리를 걸었다. 후회하고 싶어도 나는 이미 바라나시에 와 버렸고 나는 더 분노할 명분이 없었다. 내가 익히 들어 알고 있던 것들의 실상은 날조된 것들이었다. 바라나시를 향해 나는 의심을 멈추지 않았고 의심하는 것마저도 의심하고 있었다.

내가 보기엔 이곳은 그저 번잡함 그 자체였다. 그러나 그 무질서 속에는 그들만의 질서가 있는 듯, 그들은 그 좁고 번잡한 길에서 부대끼는 일 없이 서로를 잘 피해 가고 있었다.

발 디딜 틈 없는 시장통의 활기가 갠지스 강변을 따라 길게 늘어선 가트로 이어지고 있었다. 강가는 빨래하는 아낙네들, 목욕 의식

을 치르는 노인들, 물놀이하는 아이들 등 나이대가 다양한 사람들의 삶의 터전으로 보였다.

이곳 사람들은 망자의 영혼이 떠도는 강가의 물로 목욕을 하면 업이 씻겨 나가고 여기에 뿌려지면 사후 윤회에서 벗어날 수 있다고 믿는다. 인도의 사유로 보아 시공간은 언제나 확장하는 것이며 이들의 신분사회, 즉 카스트제도(브라만, 크샤트리아, 바이샤, 수드라)는 전생으로부터 시작된 게 아닌지 싶다.

단순히 모든 것이 우연이라기엔 세상의 모든 것은 이미 결정되어 있는 듯 보였는데 과거에 집착이 어떤 이에게는 오늘을 살아가는 삶의 버팀목 같았다.

메인가트에서 빠져나온 나는 좁은 골목길로 들어섰다. 무수한 갈림길들은 모두 동물들의 소굴이었고, 그곳은 아수라장에 가까웠다.

내 몸과 마음은 지쳐 있었기에 발걸음은 평소보다 무거웠다. 똥 밟은 셈 치고 넘어가기에는 배설물들이 곳곳에 널렸고 신발 자국이 선명하게 찍혔다. 신발 밑창 틈 사이, 덩어리가 낀 채로 걸을 때마다 찝찝함이 아래부터 타고 몸까지 올라왔다.

바라나시는 보고 싶은 것만 볼 수 있는 환경이 아니었다. 바라나시를 걷다 보면 역겨운 냄새에 속이 뒤집어지고 눈을 멀게 만드는 골목의 복잡한 연결망은 나를 계속 돌게 만들었다. 어지러운 골목

· 여행이 삶을 바꿔놓진 않겠지만

은 마음속 경계를 수만 갈래로 만들었다.

나는 넷이 짝을 이뤄 시신을 메고 화장터로 이동하는 사람들을 조금 떨어진 상태에서 따라가 보았다. 이미 수없이 불타고 남은 화장터의 잿더미가 다음 망자를 기다렸고, 한 가족의 슬픔이 채 가시기도 전에 곧바로 마련된 장작더미 위에 새 시체가 올라왔다. 불에 타들어 가는 장작들을 보고 있자니 '없을 무(無)' 한자의 부수 중 연화발(灬)이 '무'라는 형상을 태우는 것처럼 보였다.

옆에 넘쳐나는 여분의 장작들로 활활 타는 시체와는 달리, 장작값이 비싸 전부 태우지 못하고 일부 형체만 타다 남은 시체들은 고스란히 들개들의 몫으로 돌아갔다. 타는 시체 냄새를 맡고 찾아든 건지 으르렁거리는 소리도 없이 개들은 어슬렁거리며 나타났다가도 유해의 체조직을 하나씩 얻어 물고 유유히 골목으로 사라졌다.

죽음에 저항할 수 없는 시간적 유예 앞에 결국은 우리의 완숙한 삶이 죽음으로 가는 긴 여정이라 하여도 바로 눈앞에서 그 과정을 지켜보고 있으니 가슴 한구석이 쓸쓸해지는 건 어쩔 수 없는 일 같았다. 최후의 순간까지 죽음을 체험하지 못하지만 잃는 것에 대한 두려움으로 죽음의 현상이 무엇인지 짐작할 수 있었다.

죽음에 관하여 실존 철학자 하이데거는 "인간은 죽음을 향한 존재이다."라고 표현했다. 즉, 인간은 태어나자마자 이미 죽음을 잉태한 채로 살아가는 존재일 것이다. 그렇기에 죽음을 생각하지 않

• 여행이 삶을 바꿔놓진 않겠지만

고 있을 때에도 몰래 다가온다는 것은 부인할 수 없는 현실이었다. 끝에서 바로 앞의 차례를 기다린다는 건 상황에 따라 기대 혹은 불안일 것이란 생각을 저버릴 수 없었다.

연기로 자욱한 옥상 위에서 연을 날리는 아이들의 해맑게 웃는 모습은, 죽음을 기다리는 자들과 무표정한 화장터 일꾼들과 선명하게 대비되며 상반된 분위기를 보여 주고 있었다.

저울 앞에 빼곡히 쌓여 차례를 기다리는 장작들. 값을 치른 만큼 장작을 내어주는 일꾼은 냉정했고 묵묵히 일만 할 뿐이었다.

나는 이곳에 왜 와야 했던 건가? 벌레처럼 허무하게 죽어 가는 인간들의 형상을 보기 위해서일까? 아니면 삶의 의미를 새롭게 발견하기 위해서일까?

인생은 더불어 살아가는 거라지만 사람은 자신의 이야기를 소재로 생의 중심에 서서, 매 순간 죽음을 위해 자기 정리를 한다. 어쩌면, 산다는 것은 자기합리화 하는 것 같다. 언제나 죽음은 아직 나와는 상관없는 막연한 남의 일로 여겼는데, 한편으로는 한 줌의 재가 흙 또는 먼지로 돌아가는 순리가 존재를 참으로 가볍고도 허무하게 만든다. 말 그대로 없음으로 돌아간다는 것, 인간이 타서 없어지는 것이 '무'의 뜻처럼 아무것도 남기지 않았다.

순차적인 시간의 흐름에 따라 죽음이 다가오는 것이 아니란 걸 알고는 있었지만 이곳에서 나는 이 말을 한참 동안 떠올렸다. 인간답게 죽을 권리인 존엄사가 없다면 삶은 그저 노예일 뿐이다.

많은 여행자들이 바라나시의 매력에 빠져 한동안 머물게 된다고 하던데, 나는 그렇지 못했다. 그저 짐을 싸서 당장이라도 떠나고 싶었다.

하지만 인도를 다녀온 사람들에 의하면 바라나시를 보지 않았다면 인도를 본 것이 아니라는 말이나 바라나시를 보았다면 인도를 모두 본 것이란 말이 나올 정도인지라, 내가 아직 모르는 뭔가가 있겠다는 생각에 나는 좀 더 고민을 했고 예정대로 더 지내기로 마음먹었다.

인도는 다양한 문화를 가진 나라인 만큼, 내 눈으로 보아서는 비정상에 가까운 일들이 벌어져 심란할 때도 있었지만 여러 각도에서 바라볼 때마다 매번 생각이 달라져야 했다.

바라나시 사람들 중 일부는 사람 구실조차 못할 정도의 게으름과 구걸 그리고 자신의 처지를 부끄러워할 줄도 모르는 무감각함에 버려져 있었다. 어쩌면 버려진 것이 아닌 그들 스스로 선택한 삶일지도 모른다는 생각도 들었다.

그들에게 있어 삶이란 살아 있기에 살아가는 것 같았다. 단순히 생을 연장하는 일인 양, 그들은 어떤 발전도 꾀하지 않는다. 그저, 살기 위해 혹은 먹기 위해 구걸할 뿐이다.

나는 타자의 공간에서 현실을 반추하며 나의 공간을 들여다봤

· 여행이 삶을 바꿔놓진 않겠지만

다. 애초에 한 객체의 공간이 존재했던 것 일까, 연장할 수 없는 공간 속에서 존재는 허물어진다.

나는 본격적으로 바라나시 시내를 좀 더 헤집고 다녀 보았다. 그러던 중 한국인 카페인 라가카페를 발견했다. 바라나시 여행자들이 꼭 들른다는 한국인 관광객의 쉼터 역할을 하는 곳이었는데, 나는 사막에서 오아시스를 찾은 기분이 들었지만 기분이 이랬다저랬다 하는 것만큼이나 더 흔한 일은 없었다. 바깥의 혼란스러움을 털어 내고 짜이를 마셨다. 그리고 특별한 일정이 없던 나는 책을 읽으며 한동안 시간을 보냈다.

카페 창밖에서 '람 람 싸드 야헤' 소리가 들려왔다. 오늘은 또 누가 떠난 건지, 책을 읽는 동안에도 화장터로 가는 사람들의 곡소리를 여러 차례 들었다. 서로 다른 절정의 신음 소리가 각자의 잠재적 욕망을 부추겼고, 나는 바라나시에서 삶과 죽음을 동시에 생각하는 대조적인 하루를 보내면서 중간에 머물러 있는 존재 같았다.

타나토스와 에로스의 충동, 결국엔 생명의 수액을 갉아먹는 욕망의 최후를 본보기로 보여 준다.

언젠가는 죽을 것을 알면서도 나는 끊임없이 죽음에 대해 생각한다. 반대로 마치 평생 살 것처럼 삶을 대하는 나는 아주 사소한 것에 매달리고 집착한다. 낮과 밤이 갈마드는 하루는 삶과 죽음의 잔상을 들여다보는 것 같아 나의 생각은 생사를 넘나드는 위태로

운 진자운동으로 계속됐고, 그로 인한 공허함은 깊어만 갔다.

살아가는 사람들의 죽어 가는 시간 속에서, 오늘은 삶이 무겁고 죽음이 가볍게 느껴졌다. 죽음이라는 것이 밤에 찾아오는 편안한 잠 같은 것으로 전제한다면 삶은 낮 동안 눕기 위한 몸부림이어야 했다.

오늘 보았던 그대로의 모습은 내가 태어나기 이전에도 이 모습 그대로였을까. 시간이 멈춘 것만 같은 바라나시에서 의문이 들며 긴 하루가 저물었다. 그리고 평소 취침 시간을 나는 훌쩍 넘겼다. 헛된 생각이지만 가끔 나는 모든 것을 지우고 다시 시작하고 싶었다.

자신이 얼마나 초라하고 보잘것없는지를 알았을 때, 인간은 자기경멸에 빠지고 만다. 그래서인지 무질서하게 나를 찾아오다 이내 사라지는 기억들로 잠을 설치기도 했고 풀리지 않는 종래의 형이상학적인 물음들을 밤새 내게 던지기도 했다.

'나는 누구인가?' 나는 존재의 이유를 곱씹어 보았지만, 그럴수록 점점 더 수수께끼에 싸여 있는 자신을 본다. 그런 자기 자신을 가장 가깝게 들여다보지만 간혹 본인조차 수수께끼를 풀 수 없어, 가장 먼 존재처럼 느껴졌다. 그러한 궁극적인 생각들, 삶은 철학적이었고 철학은 곧 삶의 투영이었다. 삶 속에 주어진 다양한 가치들은 변하지 않은 채 오래 지속되어 왔다.

• 여행이 삶을 바꿔놓진 않겠지만

나는 가치 실현을 위해 세상 밖으로 나왔고, 세상 어딘가에 있을 수많은 길 중 내 길의 한 부분을 찾으러 떠나야 했다.

시간의 흐름 속에서 매 하루는 영원할 것만 같이 지나가고 찾아왔다. 다음 날, 나는 한참을 강가에 머물렀고 물결은 햇살에 빛나고 있었다. 가라앉지 않고 떠내려가는 눈부신 물빛과 함께 내가 의심했던 지난 것들도 강어귀를 따라 떠내려 보냈고, 나는 바라나시를 떠났다. 만약, 이승에서의 시간이 저승에서 꾸는 꿈이라면 현생은 꿈이 아닐는지.

기차역 외국인 창구에서 더위를 식히다가 30분 일찍 게이트 구간으로 이동했다. 제시간보다 빨리 온 기차가 내가 타야 하는 기차가 맞는지 확인하기 위해 인도인에게 물어보았다. 그는 내게 다음 기차까지 기다리라고 했다.

나는 곧이곧대로 믿으려다 인도인의 말을 섣불리 믿으면 안 된다는 조언들을 들었던 게 생각났다. 아니나 다를까, 그 사람은 능청스럽게 거짓말을 한 거였다. 출발 시간 5분 남겨 놓고 갑자기 온 신경을 곤두세워 자리를 찾으려니 배낭이 더 무겁게 느껴지는 일은 극에 달했다.

내가 물어본 것에 대한 인도 사람들의 대답은 하나같이 전부 달랐다. 결국 신경이 곤두선 나는 온몸이 땀범벅이 되었고, 누구의 말도 믿을 수 없는 지경에 이르렀다.

다행히 출발 지연 덕에 나는 내 좌석에 탈 수 있었다. 정시에 출발했더라면 아마도 아무 칸이나 들어가 힘들게 갔을 것이었다.

아무튼 이런 혼란은 몇 번을 당해도 불쾌하기 마련인데, 방금 내게 거짓말을 했던 사람을 다시 마주치기라도 하면 그는 다시 아무렇지 않게 대충 저쪽으로 가라고 둘러대는 게 다반사였다. 나는 그런 그들에게 화가 났고 ,그런 사소한 일에 다스려지지 않는 스스로에게 화가 났지만 기껏해야 고작 원망할 뿐이다.

사실 여행 중 만나는 사람들의 행위는 의미 없는 일이었다. 나는 그 사소한 것을 깨닫기까지, 수많은 일들을 겪고 그만큼 많은 화를 거쳐야 했다.

카주라호, 에로틱 사원

- - - - - - - - - - - - - - - - -

야간열차를 타고 밤새 달려 카주라호에 도착했다. 인도의 새벽은 한국의 겨울밤처럼 짙고 어두컴컴했다. 길거리가 난장판이던 바라나시에 있다 와서 그런지, 오토릭샤를 타고 잘 다듬어진 공항방면 도로를 달렸을 때, 나는 그제야 숨 쉴 만하다는 기분이 들었다.

이곳은 반나절이면 다 둘러볼 수 있는 작고 조용한 마을임에도 불구하고 비행장을 건설할 정도니, 에로틱한 조각상이 끝없이 있다는 카주라호 사원이 유명하긴 한가 보다 생각했다.

예전에 인도의 국부 간디는 카주라호의 사원을 보고 "다 부숴버리고 싶다."라고 말했을 정도라는데, 직접 보기 전까지는 그 수위가 어느 정도인지 알 수 없었다.

작은 마을답게 이곳은 숙소와 식당, 상점들이 밀집되어 있었고 나는 역시나 오토릭샤 기사가 추천해 준 숙소에 하루 머물렀다.

카주라호 사원은 동·서·남부 사원이 있었는데, 그중에서도 서부 사원이 워낙 유명하여 메인이 되는 유적지였다. 돌에 새겨진 서부 사원의 조각은 야하다는 말로 표현하기에는 부족할 만큼 적나라했다.

하지만 미투나(한 쌍의 남녀, 그 성적 결합을 의미하는 조각상)는 조각

▶ 서부사원

▶ 조각

의 예술성이라는 시각에서 보자면 성적인 동작은 너무나 섬세하고 관능적인 조각이라고 할 수 있었다. 조각상은 성적 결합의 다양한 체위와 신체의 은밀한 곳까지 세밀하게 표현되어 있었다. 대낮에 벌거벗은 사원이 낯 뜨겁기보다는 이마저도 아름다움으로 매료되었나 보다. 수행과도 같은 성행위 자세들은 거부감보다는 그 기교함으로 인하여 나를 감탄 수준에 머물도록 해 주었다.

고개가 뻐근할 정도로 사원 곳곳을 올려다보며 숨어 있는 표정들을 살펴봤다. 서로 얼굴을 맞대면서도 자신의 얼굴을 반쯤 감춘 채, 그저 벌어진 입술 사이로 지그시 혀를 들이밀어 서로의 입안을 부드럽게 회전한다. 몸 안 가득 찬 듯한 희열은 얼굴로 내비쳤고, 사원은 온통 뜨겁게 달궈져 에로틱한 향연에 젖어 보였다. 전희 단계에서부터 몰입의 이르기까지 서로 바라보는 애절한 눈빛 속, 거친 호흡이 들려온다.

몰입 전과 후로 나뉜 두 얼굴 사이 그들의 표정은 상반되어 있었다. 격렬한 절정 끝에 찾아오는 공허함을 어떻게 감당할 것인가. 모든 힘이 빠지는 순간이었다. 어느새 나의 몸은 반응하듯 걸음이 느려졌고 잠시 숨고르기를 하며 밀려오는 복잡한 감정이 꺼져 갔다. 모든 행위의 끝은 강렬한 만큼 제 나름의 '공(空)'을 추구하고 되풀이되는 것 같다.

사원 외벽에 이런 야한 조각들이 만들어져 있는지에 대한 학설은 분분하다. 그중 대표적인 것은 고대 인도인들은 남성과 여성 그 자체로는 불완전하다고 믿었고 그렇기 때문에 서로의 짝을 찾아 성행위를 함으로써 몰입과 동시에 불안전성을 보충했다는 견해이다.

음과 양의 조화를 이루는 이러한 것들은 종종 번식이나 쾌락의 도구가 아닌 완전한 인간이 되기 위한 방도라고 여겼던 것 같은데, 육체적 관계뿐만 아니라 정신적 교감을 이루기 위해 남녀 간의 성애를 다룬 카마수트라를 보아서는 그 옛날 인도인은 본질을 추구하고자 했는지도 모르겠다.

• 여행이 삶을 바꿔놓진 않겠지만

- - - - - - - - - - - - - - - - - - -

카주라호에서 아그라까지의 이동은 9시간이 걸리는 장거리여서 가급적이면 야간열차를 타고 싶었지만, 열차가 아침에만 운행을 하여 어쩔 수 없이 오전에 나가야 했다.

열차의 실내는 한적했지만 언제 사람들이 들이닥칠지 모른다는 긴장감 또한 들었다. 오전열차를 탔을 때, 나는 한적한 여유를 즐기고 싶은 마음이 간절했지만 막상 그 여유가 주어지자 나는 금세 지루함을 느끼고 있었다. 지루함을 달래는 방법이 다양하겠지만 마땅히 떠오르지 않아 현실 어딘가에 의존하고 싶었다.

항상 바삐 움직이던 부모님을 보고 자라서인지 나는 내 몸에 밴 바쁜 삶을 열차에서 끄집어내고 있었다. 바쁘지 않으면 이내 불안해졌던 일들, 딱히 할 일 없던 어느 하루도 가만히 쉬지 못했던 일, 이미 오랜 시간 익숙해진 한국에서의 삶을 나는 이곳 인도까지 끌고 왔다. 스스로 만들어 낸 그 지루함 속에서 미련스럽게 갑갑해하는 내가 창가에 비쳤다.

어느새 열차 객실은 꽉 찼고 많은 사람들 틈에서 풍겨 오는 땀 냄새가 역하기보다는 도리어 내 심신을 녹여 줬다.

열차가 아그라 칸트역에 오후 늦게 도착했다. 마치 나를 기다렸

· 여행이 삶을 바꿔놓진 않겠지만

다는 듯이 오토릭샤 기사들이 불나방처럼 달려들었다. 인도의 어느 곳을 가나 역을 빠져나오면 릭샤꾼들은 귀찮을 정도로 따라붙었다.

그중 묵묵히 눈빛 한번으로 훑고는 할 말만 딱 하는 고령의 남자가 있었는데, 나는 그의 릭샤를 타고 타지마할 주변에 밀집한 숙소 중 한곳으로 갔다. 숙소 옥상에서 바라본 타지마할은 마치 백색의 거대한 덩어리 같았다.

다음 날, 나는 한적한 관람을 위해 새벽 일찍 숙소를 나섰다. 그러나 타지마할에 도착하니 이미 나와 같은 생각으로 많은 사람들이 매표소 앞에 줄을 서고 있었다. 예전부터 수많은 사진과 다큐멘터리에서 보았고, 인도하면 떠오르는 것 중 대표적인 게 타지마할이었다.

세계에서 가장 아름다운 대리석 건물로 칭해지며 유네스코 세계 문화 유산인 타지마할은 일반적인 건물과 달리 완벽한 대칭을 보여 주고 있었다. 그래서인지 도시 주변 허름한 집들조차, 타지마할을 한층 더 빛나게 꾸며 주고 있는 것 같았다.

한 남자의 집착의 결과물이 세기의 사랑이라고도 불리며 사랑의 맹세로 지어진 타지마할. 사람은 사랑이라는 감정으로 간혹 이해하기 어려운 행위들을 보여 준다.

인간의 욕심으로 인해 무고한 타인의 죽음까지 끌어들였던 이곳에서 수없이 죽어 나간 사람들의 신음 소리가 들리는 듯했고, 그 거대한 무덤이 한 사람만을 위한 무덤처럼 느껴지지 않았다. 그러나 그 결과물은 수많은 희생만큼이나 그저 아름답게 볼 수는 없었지만 화려했다.

22년 동안 나라를 뒤로한 채 아내의 묘를 만드는 것에 매달렸는데도 불구하고 정작 그곳에 갈 수도 없이 멀리서 바라만 보며 치른 대가는 샤자한에게는 감당하기 힘든 고통이었을 것이다.

낮의 열기가 절정에 달했을 때, 하얀 외벽은 타는 듯 더욱 강렬해 보였다. 가까이 가면 갈수록 높이 솟은 외벽 대리석에는 문양의 조각들로 오밀조밀하게 새겨져 있었다. 석조 기술에 넋 놓고 바라볼 수밖에 없을 정도로 그 섬세함은 기술이 아닌 예술작품, 그 자체였다.

사랑과 여행, 한때 '낭만'이라는 접두사만 걸쳐도 더욱 찐하게 젖는 동시에 적당함의 기준이 없었다. 그래서일까. 의욕에 들뜬 나머지, 지친 것도 잊은 채 밤잠을 설치게도 했다. 반면에 망설임이 계속될수록, '이래라저래라' 그럴듯한 말들 속 줏대 없이 행동하게 되면 도리어 환상만 부풀 수 있었다.

이런 사랑도, 여행도, 가만 들여다보면 마치 열병 같다. 차라리 입김에 연명하여 서서히 빠져드느니 팽창하여 한순간에 터지고 싶다.

• 여행이 삶을 바꿔놓진 않겠지만

여행길에서 사랑을 묻다. 인생이 만약 사랑으로 가는 길목이라면 인생길이야말로 여행 아닐는지. 결국, 누군가를 깊이 알아 간다는 시간을 달리 말하면 나를 알아 가는 시간이다. 여행을 사랑하고 싶고, 사랑을 여행하고 싶다.

▶ 흉내

▶ 사랑

▶ 기차역

▶ 기차 내부

뉴델리의 두 얼굴

한창 꿈을 키워야 할 어린아이들이 뙤약볕 아래 맨발로 철로를 누비며 쓰레기더미를 줍고 있었다. 내가 열차 안에서 그 아이들을 바라보며 알게 된 더욱 아픈 사실은 이 아이들도 이젠 구걸을 해도 소용이 없다는 걸 알고 점점 음지로 들어간다는 얘기였다.

이와 달리, 델리로 향하는 열차 안에선 가족의 따뜻함 속에서 자란 아이들이 보였다. 이 아이들은 투정도 부리고 여린 눈망울로 낯선 나를 신기한 눈으로 응시했다. 나는 가만히, 바깥의 아이가 열차 안의 아이처럼 웃는 모습을 상상해 보았다. 행복이 멀리 있을 거라 생각하지만, 사실 떠나온 그곳에서 가장 가까운 곳에 있었다.

돌아다니는 동안 지저분한 것에는 이력이 났지만 삶의 고통과 치열함이 버젓이 현실로 드러나는 것을 마주하니 안주하던 나에게 파문을 일으켰다. 그런 나는 인도를 통해 인간사의 애환을 거듭 생각했다. 그리고 동시에 상반되는 감정을 표출하면서도 감정의 깊이를 단정 지을 수 없었다.

삶이 언제나 마냥 행복할 수 없듯 삶이 언제나 마냥 불행하기만 한 건 아니라고 나는 혼잣말을 하고 있었다.

인도의 수도 델리는 어떤 곳일까? 이곳은 근대화의 산물인 계획

도시 뉴델리와 오래된 도시 올드델리로 나뉘는데, 나는 신과 구의 대비를 이뤄 어떤 특별함이 있을 것 같단 생각이 들었다. 그러나 창밖에 버려진 쓰레기들을 보곤 그 기대는 금세 사라지는 듯했다.

소요 시간이 짧아 SL객실 등급을 이용했는데, 들끓는 잡상인들과 현지인들의 자유로운 분위기에 객실 안은 어수선했다. 하지만 그들은 특유의 친화력으로 먼저 내게 다가와 음식을 권하기도 했다. 음식은 조심스레 마다했지만 나는 그들과 함께 어울렸고 이동 간 처음으로 풀린 듯했다. 의식된 행동은 아니지만 잦은 실수 속에서 내게 불어난 건 오로지 경계뿐이었다. 소통이 어렵던 인도에서의 짧은 만남은 얼었던 몸이 스스로 녹아내리는 것처럼 그 속에서 오랜만에 편한 시간을 보냈다. 도착 전까지만해도 하차지점이 뉴델리역이라고만 생각했는데, 구글 지도를 보니 델리의 기차역인 사프다르정역에서 정차하는 기차였다. 뉴델리와는 10km 정도 떨어진 곳이었기에 나는 오토릭샤를 타고 뉴델리에서 여행자 거리로 유명한 빠하르간지의 숙소 밀집 지역에 있는 저가 호텔에 짐을 풀었다.

여행자는 늘 배고프면서도 허기를 채우는 일은 고민거리다. 개인차가 있겠지만 먹는 것이 부실하면 하루가 짧게 느껴졌다. 열차 안에서 배가 고팠던지라 뉴델리 곳곳에 즐비한 식당을 보자마자 콧노래가 절로 나왔다.

　　　　　　　　· 여행이 삶을 바꿔놓진 않겠지만

게다가, 이전부터 내가 알고 있던 입맛의 패스트푸드점도 잔뜩 있었다. 그것이 무엇이든, 알고 있다는 사실이 나를 안심되게 했다.

월요일, 시작을 알리듯 뉴델리역 부근의 아침은 출근하는 사람들과 등교하는 학생들, 빠하르간지로 향하는 여행자들로 분주했다. 뉴델리 기차역 육교를 건너 짐 한 보따리 짊어지고 플랫폼으로 이동하는 인도 사람들을 한참 보고 있었다.

그리고 대부분의 인도인들은 기호식품 중 하나인 빤(pan)을 많이 씹는다는 걸 알았다. 입 안 가득 물었던 빤을 쩝쩝대며 씹다가도 아무 데나 뱉어 버리는데, 피를 토하는 것 같아 보기 흉했고 나는 가끔 미간을 찌푸렸다.

며칠째 이어졌던 강행군으로 인하여 내 체력은 바닥을 드러냈다. 결국 오토릭샤를 타고 시내까지 움직이기로 결정했다. 뉴델리의 중심지인 코넛 플레이스 광장은 방사형 도로를 따라 인디아 게이트 중심대로까지 뻗어 나가 있었다. 인디아 게이트는 제1차 세계대전 때 영국을 위해 싸우다가 죽은 인도병사의 넋을 기리는 기념물로서 전쟁에서 희생된 9만여 명의 장병 이름이 새겨져 있었다.

우리나라와 연도는 다르지만 신기하게도 인도 독립은 광복과 같은 시기인 1947년 8월 15일로 날짜가 정확히 일치했다. 죽은 자들은 말이 없으니 우리가 할 수 있는 뭔가가 있다면 다만 경의를 표하며 그들을 기억하는 것뿐이란 사실이 애석하게 느껴졌다.

• 여행이 삶을 바꿔놓진 않겠지만

최고조로 달아오른 인도의 찜통 같은 더위 속에서 나는 수직으로 내리쬐는 태양에 땅과 함께 달궈지는 것 같았다. 아스팔트에 이글거리는 열기는 40도를 육박했고, 이곳은 덥다 못해 숯가마 안을 걸어 다니는 기분이었다. 온몸에서 흘러내리는 땀줄기에 기력까지 다 빠져나갈 지경이었다.

더 이상 걸어 다닐 엄두가 나질 않으면서도 걷고 쉬기를 반복했다. 계속되는 더위에 짜증이 폭발하듯 연이어 더위와 싸우듯 나는 걷기에 오기를 부리기 시작했다.

남자라면 누구나 겪어 봤을 법한데, 흔히 사우나에서 부리는 남자들의 쓸데없는 자존심을 나 역시 부려 본 적이 있었다. 모래시계가 알려 주는 1분 동안 숨이 턱턱 막히는 더위 속에서 발동하던 나의 오기가 사우나의 열기만큼 사우나 안을 가득 채웠던 적이 있었다. 찜통 속에서 버티는 와중에 '이걸 해내지 못하고 밖으로 뛰쳐나가면 아무것도 못한다'는 비효율적인 생각에 나의 의지를 담았던 일.

정확히 그때의 심정으로 나는 이곳에서 오기로 걸었지만, 태양을 이기겠단 바보 같은 생각은 결국 그늘에서 잠시 목을 축이고 쉬는 걸로 끝을 냈다. 나는 낮 동안의 더위를 피할 겸, 인도 영화를 보러 극장으로 들어갔다.

한국에서도 인도 영화가 흥행하여 인기를 끌었기 때문에, 인도

· 여행이 삶을 바꿔놓진 않겠지만

영화에 대한 기대감을 안고 나는 본고장에서 상영 중인 〈돌아온 모범경찰 싱감〉이라는 영화를 봤다. 비록 언어는 알아들을 수 없었지만 액션신이 꽤 많았던지라 영화가 지루하지는 않았다.

발리우드 영화의 긴 러닝타임답게 중간에 휴식시간도 있었다. 어디서 웃어야 할지 감이 안 잡히는 애매한 타이밍은 있었지만, 주인공이 악당과 싸울 때의 통쾌함 때문에 모두들 소리를 지르고 박수를 쳐댔다. 나는 영화와 관객이 함께 너무 오버하는 인도 영화관의 분위기에 어색하고 살짝 당혹스러웠다.

그러나 영화를 통해 문화와 일상의 전반이 단합하는 특유의 이곳 분위기를 보니 발리우드의 영화산업이 인도를 이끄는 힘의 주요 원천임은 확실한 듯 보였다.

인도에는 아직도 수백 가지의 언어가 존재한다고 했다. 힌두어가 가장 많이 쓰이고 영어가 공용어로 쓰이고는 있지만 모든 사람이 의사소통을 하기에는 부족하다는 말을 들었다. 또한 인구는 많은데 그에 비해 이렇다 할 여가문화의 인프라가 없는 인도에서 영화 관람은 범국민적인 좋은 문화생활이 되는 것 같았다.

그리고 인도의 영화는 춤과 노래는 물론 다채로운 볼거리와 복잡한 이야기 구조를 넣어 영화가 종합예술이자 문화 콘텐츠의 집합체처럼 되는 것이며, 그로 인해 모든 국민이 영화관에서 하나가 될 수 있도록 한다는 이야기를 들었다.

손발이 오그라질 정도의 유치찬란함도 있지만 지역문화가 다양한 형태로 재생산되는 모습의 재미가 그 속에 스며들어 있다는 생각이 들었다.

올드델리, 그 속의 역사

- - - - - - - - - - - - - - - - -

쿠트브 미나르는 델리 외곽에 위치해 있지만 지하철이 편리하게
되어 있어 어렵지 않게 찾아갈 수 있었다. 나는 쿠트브 미나르 역
에 내려서 오토릭샤를 타고 이동했다. 아침 일찍 온 탓인지 이곳에
선 한적하게 유적지 관람을 할 수 있었다.

쿠트브 미나르는 12세기 말 힌두왕국을 정복한 이슬람의 승리를
기념하기 위해 세운 승전탑인데, 승전탑은 위로 올라갈수록 좁아
지는 형태였고 벽돌은 미나르 중 가장 높았다.

탑 중앙에는 코란의 문구를 도안화한 조각이 외벽에 새겨져 있
다. 굴러온 돌이 박힌 돌을 빼내는 격이었긴 하지만, 이슬람의 본
격적인 인도 진출을 위한 교두보를 마련함과 동시에 그들의 건재
함을 과시하기 위해 지은 탑답게 매우 웅장했다.

주변의 조화를 무시한 채 힌두교 사원을 파괴하면서까지 수직으
로 쌓아 올린 것이 그 당시 힌두교인에게는 눈엣가시처럼 느껴졌
을 텐데도 이곳에서 힘의 상징으로 자리 잡은 그 거대한 위용은 델
리판 '오벨리스크'로서의 역할을 하고 있었다.

한술 더 떠 쿠트브 미나르 2배 크기로 만들려 했다는 알라이 미
나르(Alai minar)는 그것을 만들려던 왕이 1층만 설계 후 죽자, 미완

성으로 중단되었다고 한다.

알라이미나르는 그곳에 그대로 부서진 채 볼품없이 방치되어 있었다. 나는 그것이 권력의 허망함을 가시화시켜 보여 주는 상징물처럼 느껴졌다.

유적지를 돌아본 뒤, 나는 지하철을 이용하여 가장 가까운 레이스 코스역에 내려 오토릭샤를 타고 간디 박물관으로 향했다. 구글지도로 봤을 때는 걸어가기에 충분한 거리였지만 8월의 인도는 강렬한 태양으로 걷기엔 매우 힘들었다.

간디 기념관은 간디가 암살당하기 전까지 마지막으로 살았던 곳이다. 지금은 추모공간으로 조성되어 간디의 삶에 대한 다양한 전시물과 그의 행적을 형상화한 작은 인형들 등이 전시되어 있었다.

간디는 인도 근대화 역사의 한 페이지를 장식하는 존재이며 위인전이나 교과서에 자주 등장하는 위인임에도 불구하고, 나 역시 간디에 대해서는 배운 것으로 아는 것이 전부였다. 그리고 나는 이곳에서 간디에 대해 알지 못했던 사실들을 더 알 수 있었다.

허위와 부조리에 눈을 뜬 모든 사람들이 그랬던 것처럼 간디에게는 삶의 선택이 불가피했다. 다만 비폭력 원칙으로 이어진 사티아그라하(satyagraha)는 누구나 인도를 해방시켜 준 기반으로 생각한다. 어떤 일이든지 실천에 옮기는 것이 가장 어려운 법인데, 간디는 끊임없는 실험과 희생을 통해 그것을 해낸 인물이었다.

· 여행이 삶을 바꿔놓진 않겠지만

초기에 그는 구성원들의 생활 유지를 해결하기 위해 협동조합 같은 농장을 만들어 자급자족할 수 있는 공동체로서의 성격을 키워 갔고, 노동에 대한 중요성을 강조하며 모든 일은 예외 없이 동등하게 여겼다.

그는 몸소 물레 잣기 노동을 실천하며 힌두교인임에도 불구하고 카스트제도의 부조리를 없애기 위해 종교적 규율을 배제하고 공동체 내부에 아슈람(수행자들이 사는 초막을 뜻하나 인생의 일정한 단계를 의미하는 말이기도 하다)을 만들어 공동체 정신을 실천함과 동시에 차별을 없애기 위한 노력을 펼쳤다.

스스로가 먼저 세상에 일어날 그 변화가 되어야 한다고 말했던 간디는 오랜 염원인 독립을 이뤘지만, 인도의 카스트제도와 종교 화합의 고민은 여전히 진행 중에 있다.

힌두와 이슬람의 대립은 상호 이해보다는 종교를 기반으로 결국 극에 치달아 분할 독립으로 일단락되었고, 힌두교도의 인도와 이슬람을 믿는 파키스탄은 간디의 죽음으로 종지부를 찍었다. 어느 나라이건 세상을 바꾸려는 자의 최후는 항상 암살로 끝나듯이, 그도 그렇게 생을 마감했다.

인류 역사에 귀감이 될 비폭력 무저항 운동의 간디적인 삶은 현대에 들어서며 더욱 부패가 창궐하는 지금 인간의 군락에서 그 어느 때보다 필요해 보였다.

간디 습리티에 이어서 오늘 일정의 종착지인 올드 델리로 발걸음을 옮겼다. 이름 그대로 올드한 곳이었다. 이곳은 무굴 제국의 붉은 성만을 남겨둔 채 시간이 멈춰 버린 도시 같았다.

성 밖에는 붉은 성이 세워질 당시 형성된 '찬드니 초크'라는 전통 시장이 있었다. 오랫동안 이 자리에서 살아온 사람들이 북새통을 이루고 있어서인지 이곳이 인도의 옛 모습에 가장 가까운 곳이란 생각을 나는 멈출 수 없었다. 수많은 상점들이 밀집되어 있는 거친 재래시장 분위기가 서민들의 오랜 일상을 엿볼 수 있게 했다.

이곳은 불규칙적으로 울려 퍼지는 경적소리와 시끌벅적한 알 수 없는 말들이 소음처럼 뒤섞여 모든 길목을 뒤덮고 있었다. 나는 어디에서도 맡아 보지 못한 향신료에 코에 마비가 온 듯한 느낌으로 소리의 무리에 휩쓸려 떠내려가는 것 같았다.

이전까지면 손사래를 치며 거절했겠지만, 이번엔 정신없이 이리 치이고 저리 치이다 보니 뒤따라오던 싸이클릭샤를 뿌리칠 수 없었다. 뙤약볕에 까맣게 말라 버린 릭샤꾼의 모습은 제 몸 하나 가누기 힘들어 보였고, 그 구부정한 뒤태를 내려다본다는 것만으로도 나는 어딘가 마음이 불편했다.

그는 안장에 엉덩이를 붙일 겨를도 없이 힘겹게 페달을 돌리면서 가다 서다를 반복하며 찬드니 촉을 빠져나갔다. 그동안 나는 뒷자리에서 미동 없이 뒤엉킨 시장을 뒤돌아봤다. 기찻길 옆으로는 오두막에서 사는 아이들을 볼 수 있었다. 뉴델리에서 불과 몇 정거장을 둔 외곽으로 벗어나자 판자촌이 수두룩했다. 판이하게 다른 두 곳을 보고 있자니 이곳은 올드델리의 민낯이었다.

델리를 떠나는 날, 열차 시간까지 여유가 있었기에 스무 시간의 장거리 여행을 대비할 겸 요기 거리를 산 다음, 천천히 떠날 준비를 했다.

몇 번을 타도 도무지 적응이 안 되는 인도 열차. 열차 플랫폼을 찾는 것은 어렵지 않았지만 여러 등급의 객차가 한꺼번에 편성되어서 열차 칸을 찾는 것은 문제였다.

저렴한 3등석 칸은 가난한 현지인들이 주로 이용하는데, 먼저 타는 사람이 자리를 차지하기 때문에 사람들은 열차가 도착하기 전부터 길게 줄을 서 있었다.

그러나 처음과 달리 열차를 기다리던 가지런했던 정렬은 점점 늘어나는 승객들로 뒤엉키기 시작했고, 제복 입은 사내들이 통제를 시작했지만 막무가내로 밀어닥치는 행위 속에서는 그 통제도 별 소용이 없었다.

사람들은 열차가 오자마자, 너 나 할 것 없이 밀고 들어왔다. 나는 빠른 승차를 포기하고 멀찌감치 떨어져 몸싸움 같은 소란이 잠잠해지기를 기다렸다가 뒤늦게 열차를 탔다. 양손 한가득 들고 있는 정체 모를 비닐봉지와 언제 씻었는지 분간 할 수 없는 땀 냄새

• 여행이 삶을 바꿔놓진 않겠지만

에 꼬질꼬질한 그들의 행색은 서로를 짐짝 취급하듯 보였다.

열차는 다른 객차로 넘어갈 수 없도록 객차 사이가 철문으로 차단되어 있었다. 안락한 1등석 통로 사이로 온갖 불편함을 겪고 있을 그들의 모습이 머릿속에 선해 열차 이용이 마냥 유쾌하지는 않았다. 어쨌든 굳게 닫혀 있는 그 철문은 그간 빚어진 혼란을 깔끔하게 정리했고, 협소한 통로 사이로 서로 뒤엉켜 구겨진 잡음 소리만 들려왔다.

왼쪽부터 ▶
올드델리 시장, 붉은 성 앞, 머그컵, 뉴델리

아잔타에서 만난 열반의 미소
- -

잘가온 지역은 여행보다는 이동을 위한 도시여서 규모는 작지만 수많은 외국인과 현지인들로 북적거렸다. 여러 작은 도시들이 그러하듯 잘가온 기차역에서 불과 100m 앞에는 크고 작은 숙소들이 많았다. 그중 나는 입소문 자자한 한 저가호텔에 짐을 풀었다.

숙소는 새하얀 외관과 같이 실내 또한 온통 하얀색이고 주변길거리와 다르게 너무 깨끗해 발자국 표시마저 보일 지경이라 청소하는 분의 눈치를 살펴야 할 정도였다.

내 발등은 새카맣게 찌든 때로 물들어 있었다. 평소, 발톱 깎을 때 말고는 눈길도 주지 않던 부위인데 인도에서는 줄곧 발을 잘 씻었다. 그런데도 양말을 벗을 때마다, 내 발은 한 번도 깨끗하던 적이 없었다.

아침에 나는 탁한 공기를 느끼며 잠에서 깼다. 낙후된 곳이라 그런지 먼지가 한산하던 정류소에서 펄펄 날렸다. 숙소 주인아저씨가 알려 준 대로 말이 통할 것 같은 현지인한테 가서 "아잔타!"라고 3번을 외쳤더니 버스 타는 곳을 알려 줬다.

승차할 때도 아잔타, 하차할 때도 아잔타를 외치며 나는 몇 번의 확인 절차를 거쳐 이동했다. 작은 마을 동네를 몇 군데 지나다 보

• 여행이 삶을 바꿔놓진 않겠지만

니 멀리 돌덩어리들이 보였고 이제 거의 다 왔나 생각할 때쯤, 운전기사가 도착했다고 말해 주었다.

확실하지 않은 것 같아 나는 아잔타가 맞는지 운전사에게 재차 확인했지만 확실한 답변도 없이 나는 버스에서 반강제적으로 일단 내려야 했다.

갓길에 혼자 내린 것이 내심 불안했는데, 다행히도 길 건너편에서 있던 한 남자가 내게 다가오더니 아잔타에 온 걸 환영한다며 안내를 해 준다고 호의를 베풀었다. 짐 보관소에 가방을 맡긴 나는 제대로 도착했다는 것에 들뜨기만 했고, 정작 내 가이드를 자청한 구세주 같던 남성이 누군지도 몰랐다.

알고 보니, 그는 기념품 호객꾼이었다. 그는 집요하기 그지없었고 일찍 온 바람에 아잔타의 출입시간이 되려면 1시간 정도 기다려야 돼서 밑져야 본전인 셈 치고 나는 그를 따라가 봤다. 예상외로 기념품들이 화려해서 그런지 눈길이 가긴 했다. 나는 아쉬운 척 맞장구를 쳐 주며 셔틀버스를 타는 곳으로 빠져나왔다.

어느 관광지를 가든 호객행위를 하며 집요하게 따라붙는 사람들이 있다. 조금 전에는 아버지뻘 되는 남성이 가이드를 해 준다며 내게 맥주 한 잔 사 달라고 했다. 여행객들에게 매번 이런 식으로 접근하는지는 모르겠지만, 내가 받은 호의는 맥주 한 잔 그 이상이었다고 생각하는 것이 그냥 정신건강에 이로울 듯했다.

동행이란 달콤한 속삭임일 수도 있고 위험한 유혹일 수 있어 몇 번의 주의를 해도 부족하지 않다. 지금 와서 생각해 보면 나는 나름 운이 좋았다. 남루한 행색으로 여행 초반부터 자유로웠을 뿐만 아니라 정말 이들이 말하는 '노 프라블럼'이었다.

곧이어 나는 고대문명 속으로 들어갔다. 구릉 일대는 침식된 듯 말발굽 모양으로 굽어져 있었고, 그 가파른 벽면에 크고 작은 스물 아홉 개의 석굴이 조성되어 있었다.

아잔타 석굴은 9세기 이후에 인도에서 불교가 쇠퇴하여 잊혀 가며 밀림 속에 숨어 있었지만 오랜 세월 후인 1819년에 호랑이 사냥을 하던 영국군 병사 존 스미스 일행에 의해 발견되어 거의 천 년 만에 세상에 모습을 드러냈다.

학교 수업시간에 교과서로만 접했던 석굴의 이미지는 내 머릿속에 종교건축이라기보다 예술작품으로 기억되고 있었다. 그걸 직접 눈으로 확인하니 조각들 하나하나가 너무나도 정교해 인간의 솜씨라고는 믿겨지지 않았다. 그 당시 발견한 영국군의 놀란 표정도 아마 나와 같았으리란 생각이 들었다.

이정표 따라 이동하다보면 아잔타 석굴의 내부는 불상과 벽화로 가득 했고 바깥세상의 빛과는 대조적으로 극명하게 어두웠다. 나는 익숙하지 않은 어두운 공간에 눈이 침침했다. 자칫 지나치기 쉬운 곳에서 예상치 못한 조각된 형상을 마주하면 보는 이를 하여금

• 여행이 삶을 바꿔놓진 않겠지만

몰입하게 만드는데 어둠으로 가득 매운 내부 공간은 장엄하게 다가왔다.

그 옛날 여러 가지 형태의 불상을 만든 것이 일종의 공덕을 짓는 행위와 연관 된 걸로 봐서는 그 당시 사람들의 간절한 불심이 느껴졌다.

가볍게 보고 넘길 것이 전혀 없을 만큼 모든 것이 인상적이었다. 그중, 1번 석굴은 부처님의 전생 이야기(자타카)를 표현하는 벽화 가운데 '연화수보살' 불화인데 불교미술의 정수로 손꼽히는 곳 중 하나였다.

26번 석굴은 열반상의 미소를 띤 평온한 표정의 불상이었다. 그 표정은 어떤 상태에 이르게 된 걸 나타낸 건지 워낙 오묘해서 한동안 멍하니 불상을 바라보고 있었다. 그리고 나는 그 표정을 오래 기억하고 싶었다. 석굴 내부 곳곳에 다양한 이야기들은 어둠 속에서 드러내지 않은 채, 스스로 빛나고 있을 텐데 전부 감상하지 못할지라도 거대한 아잔타 석굴 일부를 보는 것만으로도 경이로웠다.

석굴도 석굴이지만 전망대에 올라가서 바라본 폭포는 절경이었다. 몬순 기간 동안 울창하게 자라난 수풀의 데칸고원과 아고라강이 만들어 낸 경치였다.

이 지구상 어딘가에는 세상에 빛을 다시 볼 날을 기다리는 신비로운 유적들이 아직 한참 더 있을지도 모를 일이라는 생각을 했다.

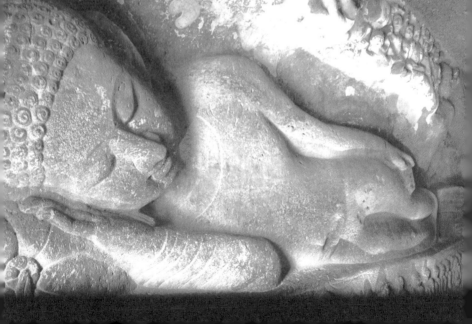

▶ 아잔타1

▶ 아잔타2

뭄바이의 음지

잠시 여행을 떠난 것뿐인데 내심 하루가 빨리 가거나 느리게 갈 때가 있다. 그리고 나의 감정마저 동조하듯 하루에도 몇 번씩 옮겨갔다.

새로운 곳에서는 몸이 열리는 반면에 낯선 곳에서는 몸이 경직되어 옅은 피로감을 동반했다. 줄곧 좋을 수만 없듯이 새로움과 낯섦을 피부로 느끼는 것이 떠남의 이유가 되었다.

여행길에서 낯선 것들은 단순한 당혹스러움이 아닌 생소한 음식을 맛보는 일과 같았다. 익숙하지 않은 표지판을 따라가 봐야 알 수 있는 여행은 매사에 나를 주춤거리게 했다. 생소한 음식을 맛보듯, 그럼에도 나는 그 끝을 가 봐야 웃거나 울거나 할 수 있었다.

뒤늦게 나는 야간열차를 타고 뭄바이로 출발했다. 인도에서 마지막으로 타는 열차이기에 이날만큼은 이 인도열차가 더 느리게 갔으면 하는 바람이었고, 시간은 더 무겁게 받아들여졌다.

그리고 나는 내심 미련이 남아서인지 낮과 밤이 다르듯 창에 비친 내 모습이 이전과는 사뭇 다르게 보였다. 언제나 채워지지 않는 일 앞에서, 시간의 종점은 내게 많은 것을 일깨워 주고 미련을 한없이 품게 만든다. 미련은 항상 애착의 대상이었다. 왜냐하면 언젠

• 여행이 삶을 바꿔놓진 않겠지만

▶ 기다림

▶ cst역

가는 끝날 것임을 알기 때문이었다.

뭄바이CST역 종착지에 내린 나는 사람들의 위아래로 훑는 시선들을 끊임없이 받으며 걸었다. 또한 떠벌이들의 집요한 들러붙음을 떼어 내면서 가기란 여간 골칫거리가 아니었다.

먹구름이 끼고 곧 비가 쏟아질 것 같아 나는 걸음을 재촉했다. 가까스로 소나기를 피한 나는 적당한 보금자리를 찾아 헤맸다. 뭄바이의 9월은 소나기가 시도 때도 없이 내렸다.

영국의 식민지 시절을 겪은 탓인지, 이곳에서는 서방 건물의 잔재를 곳곳에서 확인할 수 있었다. 본디 벌레들만 우글대던 습지였을 텐데 지금은 인도 경제의 핵심 도시가 되어 있는 것이 못내 신기할 따름이었다.

영국의 잔재를 최대한 버리고자 역의 이름 또한 '빅토리아'에서 '차트라파티 쉬바지(Chhatrapati Shivaji Terminus)'라고 바꾸긴 했지만 한번 박힌 돌은 쉽게 빠지지 않는 듯했다.

지금은 그 이름을 둘 다 사용할 뿐만 아니라 건물 꼭대기 돔 위에 서 있는 여신의 형태가 대영제국의 시대를 더욱 증명해 주는 것 같은 느낌을 지울 수 없었다.

리얼리티 투어사에서 진행하는 투어에는 '다라비 슬럼가 투어'라는 것이 있었다. 나는 그것을 미리 알아보았고 투어 참여를 위해 미팅 포인트 지점인 처치게이트역으로 이동했다.

· 여행이 삶을 바꿔놓진 않겠지만

인간의 비참한 삶이 볼거리가 될 수 있느냐는 국제사회의 비난과 곱지 않은 시선이 있지만, 주최 측의 의도는 부당한 가난에 대한 고발로서 기획된 투어라고 했다. 또한 수익의 80%를 다라비 주민들의 삶을 개선시키는 데 사용한다고 했다.

이곳은 인도 영화 중 잘 알려져 있는 〈슬럼독 밀리어네어〉의 배경이 되었으며 170여 년 전부터 사람이 모여 살기 시작한 인도 최대의 슬럼가라고 했다. 이곳은 세계 곳곳에서 폐플라스틱과 폐알루미늄을 들여와 재활용 공장에서 융합시키는 일을 하는지라 많은 위험에 노출되어 있었다.

가장 밑바닥 일이라는 인식이 있을 정도의 낮은 임금을 받고 일하는 그들의 표정에는 기쁨도 슬픔도 없어 보였다. 어쩌면 그런 것조차 생각할 겨를이 없는 그저, 그들에겐 고달픈 삶만 존재하는 건 아닌가 하는 생각이 들었다.

좁은 길 틈에 다닥다닥 붙은 집들은 한 명이 간신히 지나갈 수 있을 만큼 비좁은 통로로 이어져 있었다. 빛조차 비집고 들어올 틈이 없는 어두운 골목과 그곳의 비위생적인 환경 속에서, 나는 아이들과 마주쳤다.

애초에 웃음을 누려 본 적 없는 아이들의 시선에서도 맑은 것은 딱히 떠오르지 않았다. 언제부턴지 투어 일행들의 분위기는 숙연해졌고 몇몇 참관자는 눈시울을 적시기도 했는데, 괜히 나는 코끝이 시큰해졌다.

나는 길목 길목에서 많이 놀랐고 많은 생각을 했다. 악착같이 살고자 하는 그들의 움직임, 그러나 무엇을 위해 사는가는 정말 중요한 문제란 것을 나는 투어 내내 생각했다.

우리가 주어진 삶의 틀 속에서 만족하지 못하고 그토록 거창하고 큰 것을 원하는 것은 저마다의 지금껏 누리던 사소한 것들을 지키고 싶은 마음이 커서 그런 것이 아닐까. 결국 그 사소한 것은 일상의 작은 것을 알아 가는 시간으로 이어진다.

빨래하는 강변이라는 뜻을 지니고 있는 도비가트는 영국 식민지 시절에 군대에서 나오는 각종 세탁물을 도맡아 하던 세계 최대의 빨래터이었다. 현재도 오천 명의 노동자들이 매일 일하고 있는 이곳은 몇 세대를 거친 긴 역사를 가지고 있었다.

도비가트에서 빨래하는 사람들을 '도비왈라'라고 부르는데, 이들은 이 직업을 대물려 전수하고 있었다. 대부분 모두 달릿이라고 부르는 계층으로, 우리가 알고 있는 카스트 제도 안에도 들지 못하는 천민에 속했다.

인도에서 실질적으로 신분차별은 법적으로 금지되어 있지만 아직도 부조리한 신분차별 제도는 곳곳에 남아 있었다. 삶의 질을 눈곱만큼도 찾아볼 수 없는 노동환경 속에서 하루 벌어 하루 먹고 사는 사람들, 집단빨래터는 '직업에 귀천이 없다'라는 말을 무색하게 만들었다.

도비가트에는 바람에 나풀거리는 하얀 천들로 뒤덮여 있었다. 아름답다 말할 수는 없었다. 기막힌 모습인지라 나는 마음 한구석이 복잡해지는 것을 느꼈고, 이곳이 참으로 애잔하고 오묘한 곳이란 생각을 했다.

많은 것이 변했지만 그럼에도 변하지 않는 것들, 애초에 그 틀은 완전히 깨질 수 없는데, 없음에서 오는 그 할 수 없음을 지닌 사람들은 쉽게 변하지 못한다.

인도 여행의 끝에서

- - - - - - - - - - - - - -

인도를 가 봤다고 여행자들은 말한다.

인도의 어느 부분이 좋았습니까?
: 싫은 것 빼고 전부 좋았습니다.
인도의 어느 부분이 싫었습니까?
: 좋은 것 빼고 전부 싫었습니다.

1

'행행본처 지지발처'(行行本處 至至發處, 다니고 다녀도 본래 그 자리이며, 이르고 이른다 하더라도 결국은 떠나온 그곳이다.)

머리에서 가슴까지 가는 길을 가기 위해 먼 곳까지 떠나왔지만 다시 되돌아가야 했다. 한참을 멀리 와 버린 것 같았다. 그리고 허탈했다. 애초에 없던 길을 내가 만들어 가며 이내 의미 부여했던 건 아니었는지.

그럼에도 내가 그토록 여행을 떠나는 까닭은 어느 여행이든 간에 돌아온다는 것은 가슴속에 사무쳤기 때문이다. 삶의 자국이 새겨진 것처럼.

2

하루가 좋으려면 저녁이 좋아야 하고, 일 년이 좋으려면 겨울이 좋아야 하고, 평생이 좋으려면 말년이 좋아야 한다는 말이 있다.

그리고 여행이 좋으려면 그 순간이 아무리 짧더라도 기억이 좋아야 한다. 확실히 여행의 기억들은 그날의 감정에 따라 달라진다. 그러나 이 감정은 단순히 좋고 나쁘고의 감정과는 달리 혼합된 감정들이다. 설령 여행이 생에 부질없는 헛걸음일지언정 그런 기억이라도 선택하지 않을 수 없다면, 나는 이것이야말로 가장 선택할 가치가 있는 기억이 될 거라고 믿어 의심치 않으며 기억을 갈무리할 것이다.

3

여행에서 집으로 돌아가게 될 쯤 드는 생각은 다시 떠나야 한다는 것이었다.

여행은 이유가 있어 떠나든, 떠나기 위해 이유를 만들든, 늘 그 속에 머물렀다. 앞서 떠났던 날보다는 떠나고 싶은 날들을 떠올리게 되는 것은 주어진 삶의 유한성 때문이 아닌가 싶다.

나는 다시 떠나도 괜찮을 것 같다. 단순히 거닐기보다는 내가 성장하고자, 넘어야 하는 문턱이다. 떠남은 인간의 불완전성을 극복하려 하는 의지이며, 그것은 가벼이 여겨질 수 없다. 나는 여행을

• 여행이 삶을 바꿔놓진 않겠지만

통해 내 자신을 보고 있다. 그리고 나는 시간을 마주할 때, 나를 더 깊이 들여다본다. 들여다본다는 것은 언제나 심장을 요동치게 만든다. 그런 면에서 여행은 자기 자신을 성찰하는 행학이었다.

4

'백문이 불여일견'(百聞不如一見, 백 번 듣는 것이 한 번 보는 것보다 못하다.)

여행 중에 어디가 기억에 많이 남느냐고 사람들은 물어보며 만족할 만한 답변을 기대한다. 일상적인 물음에 대해 내가 해 줄 수 있는 답변은 내 경험과 상황에 비추어 말할 뿐인데, 묘사함에 있어 있는 사실보다 더 과장되게 하는 것이 은연중에 스며 있었다.

오늘날 내가 바라본 세상만이 아름답지는 않았을 것이다. 어느 시대에나 당시의 눈으로 바라본 세상은 아름다웠을 것이다. 세상은 민낯을 드러내거나 그대로 남아 있을 것이다.

5

여행은 세계라는 그림을 다양하게 그려 준다. 나는 수차례 떠난 여행을 통해 이미 내가 알고 있었던 세계를 다시 그려 보려 한다. 세계를 바라보는 색안경만큼, 완고한 것은 없어 보인다. 여행을 떠남으로써 세계는 나에게 주어졌다. 여행은 그 자체로 좋은 것이기보다는 어느 면에서 좋은 것일 뿐, 내가 떠남으로써 빛나야 한다.

하나의 여행 방법은 없었다. 실로 다양한 방법으로 떠날 뿐이다.
결국, 어떠한 이유든 간에 독자는 창문 밖으로 떠나야 할 것이다.

인간은 사유의 제한이 있으면서도
사유로서의 여행이야말로
낯선 길에서 상상의 나래를
펼치게 한다

에필로그 :
여정, 그 미지에 대한 동경으로

어떤 일 앞에서, 처음이란 건 언제나 설렘으로 다가왔다. 그리고 그 일이 끝나고 돌아가게 될 쯤, 늘 드는 생각은 아쉬움이었다.

지금도 나는 처음 여행을 떠나던 때가 가끔 생각난다. 아무것도 모른 채 들뜬 기분으로 마음만 앞섰던 때였고, 아마도 그 마음은 시작이란 것 앞에선 앞으로도 그럴 것 같단 생각이 든다.

변화의 시작은 내 부족함을 채우려는 배움이었고, 나는 여행에서 그 배움을 채우고 싶었다. 집 나가면 고생이라고 모두들 말하지만 나는 그 말에 공감하면서도 인생의 가장 중요한 이십 대를 여행에 몰두하고 싶었고, 젊어서 떠난 여행을 가슴으로 느끼고 돌아와야 했다.

나는 철이 없어서 손을 데어 보고 냄비가 뜨거운 것을 배우는 사람이라 생각했던 것 같다. 또한 설렘과 두려움이 마음 어딘가를 계속 자극하던 때였고, 그럴 때는 어디론가 떠난다는 게 유일한 비상구처럼 느껴졌다.

· 여행이 삶을 바꿔놓진 않겠지만

내 여행은 시작됐고 언젠가 또다시 여행을 떠날 것이다. 가장 긴 길, 감히 나는 '삶'이란 말을 꺼내 본다. 그리고 삶이 무미건조할 때마다 무수한 감정들을 가슴속에서 끄집어내어 긴 길을 동행할 것이다.

경험의 폭이 생각의 크기를 좌우한다는 생각에 변함이 없다. 치열한 경험은 치열한 배움이라고 생각한다. 나는 막무가내로 부딪치듯 떠난 여행에서 어긋난 기대와 생각을 통해 천천히 변하는 나를 느낄 수 있었다.

여행을 글로 담아내는 의욕은 언제나 나의 사유보다 한참이나 앞서 있었기에 부족함을 느꼈던 건 사실이다. 그렇지만 여행이 값졌던 만큼, 나는 잘 쓰고 싶었다.

전부 다루지 못한 부분에 있어 아쉬움 또한 크지만 이 깨달음 또한 배움이라고 생각한다. 여행이 삶을 바꿔놓진 않겠지만 더 나은 사람이 되기 위해 떠났던 여행의 기록은 스스로에 대한 준비단계였는데 그 다음으로 넘어서지는 못했다. 하지만 다시 시작점에 이른다하여도 그간 시행착오를 겪으며 돌아온 것이 단순히 헛수고만한 것은 아닐 테다. 그리고 이 여행기는 다만 그것에 대한 작은 기록 같은 것이다.

• 여행이 삶을 바꿔놓진 않겠지만

▲ 나는 거대한 세계를 조금 걸었을 뿐이다

놀이동산같이 기쁨 가득한 세계여

세상의 묘한 균형 속, 길품을 들여 그대가 가는 길이 찬란하게 비추길 바라며….